大阪爆笑
転勤ライフ
僕が出会った
笑いと人情に
あふれる
浪花の人々
通天閣
歩兵
王将
グ○コ
551
ち
R.BASSI
合同フォレスト

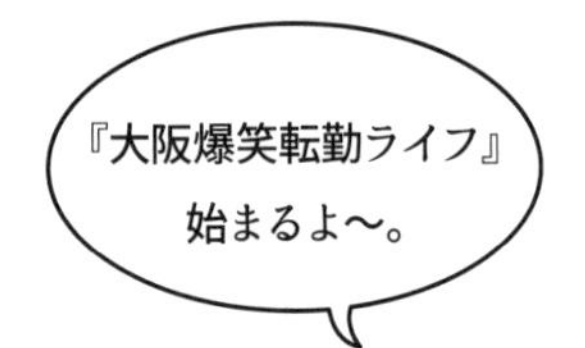
『大阪爆笑転勤ライフ』
始まるよ〜。

●もくじ

第2章 浪花 my ダイアリー ―春―

第3章 浪花 my ダイアリー ―夏―

第4章 浪花 my ダイアリー ―秋―

CHANEL

第8章

浪花節なんかな？　人生は？

《インターミッション》ちょっと、ひと息

第9章

大阪弁&我らがタイガース

第10章 ウチの近所のトワイライトゾーン

エピローグ やっぱり、浪花節だよ！ 人生は!!

プロローグ

浪花節だよ?! 人生は

製作：坂本竜馬と怪しい海援隊
原案：ＮＨＫ大阪（大ウソ！）
協力：南海電鉄（ンなわきゃねーだろ!!）
協賛：阪神タイガース（殴られるワ!!!）

●昭和映画『まむしの兄弟』の香り？

「浪花の兄弟」という漫画タイトルと話全体の雰囲気から、菅原文太さんと川地民夫さん主演の昭和の名作映画『まむしの兄弟』（東映作品／中島貞夫監督／シリーズ8作品1971年〜1975年）を連想された方もいることでしょう。

はい、正解（？）です。実は、私はあの映画が大好き。それで、懐かしいあの映画を下地に、この漫画を描いてみたというわけです。

ただ、「漫画に出てくるあんな兄弟ホンマにおるんか？　モデルは誰や？」という質問をよく受けますが、それについてのコメントはここでは控えさせていただきます。「浪花の兄弟」編以外の部分も読んでいただければ分かりますが、私は想像力が乏しいためにこのストーリーのネタの多くを日常見聞したことに頼り、それに少しアレンジを加えて起承転結にまとめ、漫画として仕上げています。ここでは、それだけ申し上げておきましょう。

この漫画を読んだ女性から指摘を受けたのですが、「すっごく昭和の香りがしますね」と。——「ふむ」。実に的を射た指摘です。私は昭和の生まれですし、下地とした『まむしの兄弟』も昭和の映画です。当然ながら、漫画に出てくるエピソードの多くも昭和と平成の初めころに見聞した出来事を参考にしたものです。

そのため、漫画の内容については今の若い世代はそれほど共感を抱かないかもしれません。逆に、私と同世代、あるいは少し上の世代の方からは、「せやったなぁ」「そんな奴おったなぁ」「懐かしいなぁ」なんて、肯定的な評価をもらえるのではないかと思っています。

ついでに申し上げますと、『まむしの兄弟』のイメージで描いたのは、どちらかというと兄よりも弟のほう、兄のほうは花登筺（はなとこばこ）のテレビドラマ『どてらい男（やつ）』とか、『あかんたれ』の主人公を参考にさせてもらっています。

余談になりますが、花登筺さんって、あんなコッテコテの浪花節的な話をお書きになっているのに、実は滋賀県の大津出身なんですね。調べてみて、初めて知りました。

ついでに、明石家さんまさんも大阪出身ではなくて和歌山県生まれの奈良県育ちなんですと！　いや、びっくりです。てっきり、コテコテの浪花っ子だと思っていました。

●令和時代に「浪花の兄弟」はいない

令和という新たな時代を迎えましたが、新時代の日本で、「浪花の兄弟」の兄のような言動をとったらどうなるでしょうか？　正直言って、一発アウト！　レッドカードを受けて即退場となり、その上で「お上」のご厄介になること請け合いでしょう。

現在は、体罰が非常に問題視されています。私たち、あるいは私たちより上の世代は、体罰が「愛のムチ」として肯定されていた世代であり、運動部では必要以上の練習強要がされていたりしました。いわゆる「しごき」も当たり前で、それに耐えて成り上がるのが美徳でした。

この漫画では、そんな昭和の精神主義的な言動を、敢えて兄にとらせています。敢えてとらせてはいますが、決して体罰やしごきを肯定するものではありません。その辺りもご理解いただければと思います。

弟については、浪花っ子の友人から「いくら大阪でも、こんなアホはいてへんやろ～？」と言われるのですが、前述の通り、モデルの存在についてはノーコメント。ただし、漫画のストーリーとして参考にした出来事はいくつかあります。

たとえば、ずぶ濡れになった猫の水気を取ってあげるために洗濯機で脱水しようとした――、また、直接漫画の中には出てきませんが、故障した掃除機を直そうとして、「切れたコードをつなぎ合わせれば大丈夫」というアドバイスに、電線をつなぎ直すのではなくコードをカバーごと固結びにした――、などです。やはり、「そんな奴いてへんやろ～」と大木こだま師匠にツッコまれそうですが……。

それに、いくら昔話とはいえ、「漫画やエッセイとしても公開できないヤバい話」や人の悪口、下ネタについては漫画ネタにしないことにしているので、触れていません。ただ、どこか雰囲気の良い居酒屋で一杯つき合っていただけたら、「実はねぇ～」などと口が緩んで話しだすかも。もちろん、そのときは割り勘で……。

●名曲が描かせてくれた浪花節の世界

「浪花の兄弟」のような、お人好しでおっちょこちょい、義理堅くて人情もろく、ちょっと喧嘩っ早いけど正義感が強くて仲間想い、なんて人が私の周りにはけっこういます。また、一見不良風だけど話してみりゃけっこういいヤツで、いろんなヤンチャをやってはいるけど根っこのところで大事なものを失っていない、といった浪花っ子の若者も。

ですから、特定のモデルというより、そういった複数のコテコテの関西人たちの〝おもろい〟経験談を参考にした漫画であると思っていただければ幸いです。

この「浪花の兄弟」については、三部に分けています。二部目と三部目については、大阪が誇る名曲（二部目は天童よしみさんの「道頓堀人情」、三部目はBOROさんの「大阪で生れた女」）の歌詞を締めくくりに使っていますが、オープニングについては、描きはじめたときから内容そのものをコテコテの浪花節的な話にして、タイトルも「浪花節だよ　人生は」というフレーズにしようと決めていたので、あのようなカタチになった次第です。

私は、大阪の情緒や人情を唄った曲が大好きです。前述の「道頓堀人情」「大阪で生れた女」はもちろん、上田正樹さんの「悲しい色やね」の歌詞の世界なども漫画で使わせていただきました。やしきたかじんさんの「やっぱ好きやねん」や「生まれる前から好きやった」については、今回は使っていませんが、いつかそれをネタにした漫画を描いてみたいと思っています。

円広志さんの歌もいつかネタにしたいですね。円広志さんは、ヒット曲「夢想花」以外にもいい曲がたくさんあるのですが、大阪以外ではほとんど知られていないのは残念。〝おもろい〟タレントさんと思っている人もいるようですが、森昌子さんの代表曲「越冬つばめ」を作曲したのも、実は円広志さん。本人もセルフカバーしています。

ほかに、桑名正博さんもいいな。それに、大阪のミュージシャンで忘れちゃいけない嘉門達夫さん。でも、嘉門達夫さんの歌を私が漫画にしたら、せっかくの歌詞の面白みがなくなってしまうかも。だから、ここはアンタッチャブル。

これら浪花の名曲をBGMにして、仲間たちの経験談を聞きながら漫画を描いていたら、だんだん「浪花の兄弟」のストーリーができ上がったというわけです。

この漫画の元ネタには、もちろん私自身の経験もあります。「大阪出身で一番偉いのは誰？」なんていう話はよく酒の席で肴(さかな)にしました。豊臣秀吉は最初に名前が出ますが、大阪出身じゃないのですぐに却下。次いで松下幸之助や鈴木貫太郎といった名前が順当に挙がり、マニアックな人からは阪田三吉(さかたさんきち)、藤山寛美、大塩平八郎などの名前が挙がり、やがて横山やすしを経て、最後は『じゃりン子チエ』のチエちゃんに落ち着くというのが定跡でした。

仲間うちでは、「東の寅さん、西のチエちゃん」とよく言っていましたが、すでに亡くなった渥美清さんで新作の『男はつらいよ　お帰り 寅さん』（松竹／山田洋次監督／2019

年／シリーズ50作目）を撮れるなら、寅さんとチエちゃんのコラボをできないものでしょうか？
　実写とアニメのコラボって、ディズニー映画なんかでもありましたよね？　成長して美しくなったチエちゃんがマドンナになったりして……。
　え、山田洋次監督にどつかれる？　やっぱり、無理でしょうね。

「浪花の兄弟」以外の登場人物については、モデルは存在します。阪神タイガース関連のネタを提供してくれた職場仲間のTさんやKさん、編集のネタ選別の段階で漏れて登場場面が予定より少なくなったHさん、絵づらの不気味さや下品さが先立って、多くのネタが敬遠されたY君など、多くの人に協力していただいています。そのほか、この漫画を描くにあたって多くの浪花っ子にいろいろと教えていただきました。
　皆さんありがとうございました。
　大阪弁の指導もしていただきましたが、漫画の登場人物が使っている大阪弁に、ところどころ「おかしいで、そんな言い方はせえへんやろ？」という箇所があると思います。それは、私がネイティブ浪花ではないせいでもあり、どうぞご容赦ください。

この漫画を読むと、「やっぱ、大阪の人は天然で面白い人が多いんだなぁ」と思う方が多いと思いますが、それはキッパリ「事実！」です。

ところで、三部に分けて描いてきた「浪花の兄弟」の漫画の中で、私が締めくくり部分に必ず人情ネタを入れているのは、「浪花は、やっぱり人情の街やねん」ということをことさら強調したかったからです。

浪花のおばちゃんやおっちゃんが使うキツい大阪弁も、ときにはうっとうしくなるほどのお節介や、やたらと他人に興味を持つ性分も、長い浪花の歴史の中で培われた「人情深さ」がその根底にあると思うのです。それを念頭に、この漫画を読み進めていただければ嬉しい限りです。

浪花の兄弟

大阪の喫茶店でコーヒータイムしてました。
いい香りだニャ
うん、おいしい
話ってなんや?
あのな…
おう

バイト先の人がワイのことをバカ、バカって言うんや
……
なんやと? 何でワレがバカなんじゃい!?

お前はバカとちゃう!
ンなコト言いくさる奴は、ワイがどついたるワイ!
うん、おおきに!!

ワイは足し算もでけるし、漢字で名前も書けるさかいな〜
せやろ〜
せや! お前はバカとちゃう!! お前は〜

アホや!!
それも、力一杯のアホや!!

兄ちゃん、バカとアホって、どないちゃうのん? それも力一杯って〜
そんなぁ
ホンマ、お前はアホやな〜 バカちゅーのは…

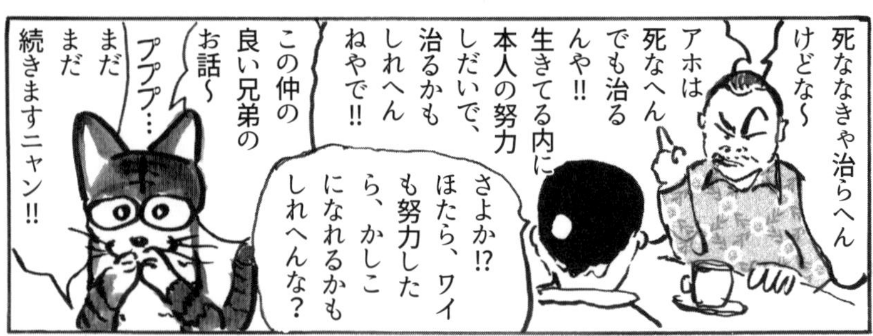
死ななきゃ治らへんけどな〜
アホは死なへんでも治るんや!! 生きてる内に本人の努力しだいで、治るかもしれへんねやで!!
さよか!? ほたら、ワイも努力したら、かしこになれるかもしれへんな?
この仲の良い兄弟のお話〜
プププ…
まだまだ続きますニャン!!

ワイかてかしこになれるんやー
なー兄ちゃん、アホって、どないしたら治るんやろか？治したいなー
せやな〜
どタマをな…
ガーンとぶつけたりしてな、どタマのてっぺんのピーコピコに、ごっつい衝撃を与えたらええらしいんやけどな…
どタマ：頭のコト
せやったら〜
高い所から飛び降りたら、でやろ？通天閣は高すぎてアカンやろか？
あ!! それはよしたがええわ!!
お前が赤ンぼの時にお父ちゃんが、「高い高い〜」って、やってて うっかりお前を落としてしもてんや!!
あ!! しもた!!
ギャ
↖コレの原因
ホ、ホンマ？
せやねん。それ以来、お前は力一杯のアホになってしもてん…——って、お母ちゃんが言うたはったで！
…………
お前の頭がゆがんでんのも、顔がおもろいのも、そのせいやって、言うてはったわ…
車にハネられたらでやろ？
う〜ん…
相手に迷惑かかるやんか！
バッティングセンターでデッドボールくらってみるのは？
あ、それええかも!!
……
えー特定の人物をモデルとしてはおりませんニャ、多分、ニャンニャンやはり弟の兄です…

!
捨てネコか…
拾って下さい
ミアミア〜

ちっ!!
しゃーないわい!!
ウチ来ンかい!!
ミアミア

理屈は…
同じやろ?
全自動

兄ちゃん!!
メチャおもろい話聞いて来たデ。アメリカになー
!

ズブ濡れやんけ……
ミアミア〜

イヌやネコって、濡れると…体をブルブルッて…
全自動
悪妻号

……
いや、そんな!! やめて!
大丈夫やろ?

濡れたネコ乾かすのに電子レンジに入れたアホがおんねんてー
ン? そのネコは?
ハハ…アホやな…
いや、濡れてかわいそうなんで連れて来た…
ホッ
アホやなー
悪妻号

1985年10月16日
兄ちゃん、今日は戎橋に呑みに行くんか？
せやけど〜それがどないしてん？

今日は〜昔、タイガースが優勝した10月16日やん!!
戎橋は危ないで〜
10月16日がなんで危ないねん？
あ〜？

だって〜子供の頃、お父ちゃんが…
ええか、夜のミナミに行く時は、10月16日だけはやめときや!! 昔、タイガースが優勝決めた10月16日や〜
なんで？

盛り上がったトラキチが〜戎橋から道頓堀へ飛び込みよってんや!!

今と違うて、昔の道頓堀は、汚ったない川でな〜
ゴミも浮いてて〜
飛び込んだトラキチは汚染物質にやられてしもうてな…

見るもおぞましいバケモンになってしもてんや!!

バケモンになったトラキチは今でも、道頓堀の底のほうにおってな〜
10月16日の夜になると、戎橋の上に出てきて、「仲間になれ〜」ゆうて、通行人を川に引きずり込もうとするんや！
ひぃぃ〜

って、お父ちゃんが言うてはったんや!!
な、危ない訳、わかるやろ？
……おおきに、気ィつけるわ!!

タコヤキ!!
タコヤキ、大好き〜
……

おう、ワレ〜力一杯のアホらしいの〜!
!
ひひひ
ホンマ、おもろい顔してんの〜

アホやのにタコヤキの味分かるんかい?
……
あんまりイジると…
がうるさいで!!
フン、見つかる前に逃げるワイ!

あ、マズ!!出た!!
おう、お前ら、ちっ〜っと聞くけどの〜
あ、兄ちゃん

できたてのタコヤキってのフロあがりの
金○に似てへんか〜?
?
え

金○はやっぱし〜パンツの中にしまわんと〜
のう?
ドサドサ

兄ちゃん、ありゃ、あんまりや!おもいっきり地獄やで!
ほたら、これくらいでやめといたろ!!

浪花偉人伝 −1−

ふーん…世界には、ごっつい偉い人がいてんねんなー
ソンケーするわー
……
子供用
えらい人の本

太閤はんか？偉い人やけどのー
太閤はんは、大阪出身ちゃうねん。名古屋あたりの出身やねん！
えー!!

兄ちゃんはー
大阪で一番偉い人は誰やて思う？
おう
ワイが大阪で一番偉いと思うのはー

兄ちゃん、大阪で一番偉い人ゆーたら…やっぱ~太閤はんやろか？
!

太閤はんやないとすると…
…キダタローとか？
ハハ、キダタローかー
浪花のモーツァルトやで
でやろ？

チエちゃんや!!
じゅっじゅっじゅっ

チエちゃんて~そんなんアカンわー
あれマンガやん！
なんでやねん！
チエちゃんこそ浪花の誇りやんけ！浪花っ子のエエとこ全~部、集めたらチエちゃんになるんやで！
こーゆー浪花っ子多いですニャン！

浪花偉人伝 －2－
ほたら、ホンマにいてる人やったら？
う～ん…
実在の人物で、大阪で一番偉い人間か？…

そら、やっぱりやっさん
やろ？
おーこるで ホンマに～

え、横山やすし？
漫才師の？
なんで？
お前はやっさんのスゴさを知らんだけや やっさんはなー
車はもとより船から飛行機まで乗りこなし…
国会議員にまで顔がきくんやで！
←元・国会議員
キヨシです。小さなコトから
コツコツと！

ふえ～ ごっつう～!!
でや、飛行機まで乗れて、政治家に顔がきいて、女にモテて、ギャンブル好き！
こんなスゴい人間はやっさん以外では、ジェームズ・ボンドしかおらん！
ヤスシ？
フーイズイット？
007

すげーすげーやっぱ浪花っ子が一番やー世界一やー
ごっついわー!!
せや!! やっさんがあと10年生きてはったら、総理大臣になって、日本の首都を大阪にしたに違いないで！
……
露と落ち露と消えにし我が身かな浪花の事は夢の又夢
豊臣秀吉・辞世

ベートーベンは第九
兄ちゃん、ワイみたいなアホは、生きてたってしゃーないいんやろか?
!
何ぬかしとんじゃっ!!
ひっ
…アホのお前かてベートーベンっちゅー人は知ってるやろ?
ジャジャジャジャーンの人?
ぐす…
ベートーベンはな…
せや
ベートーベンは、晩年に耳が聴こえなくなるという不幸に見舞われました。作曲家としては致命的です。
へ〜
ふ〜ん
小三
しかし、彼はくじけませんでした。必死の努力で、ハンデをのりこえて、「第九」という大傑作を作り上げたのです。
すげえ〜
みんなも彼のようにくじけない強い勇気を持ちましょう。
ハーイ
アホなだけで、ベートーベンより幸せやないか!?
お前は目も見えるし耳も聞こえるやないか!!
…耳が聞こえんようになったベートーベンは…
努力して、今度は大工になって、ごっつい大仕事をやりよったんやで。お前も負けたらアカン!!
うん。ワイが間違うてたわ、甘えてた。頑張るわ!
なんで大工?
???
…大工になって…?大工…?あ、第九!ニャンニャン!!

浪花節だよ人生は

!
どないしはりました?
○△駅へ行きたいんですけど分かりませんねや…

すんまへんな~
ええんですよ。な~にねきでっさかいついでですわ~
…
ほな、たのんます

ねき：近く

困ってる人には親切にせないつも兄ちゃんが言うてますねん。
アカンて、
せやねん。兄ちゃんは何でもよう知ってな~
ほう、偉い兄さんでんなー
…

こんなアホなワイをメッチャかわいがってくれるんや
…
ええ兄さんや
うん、時々メチャ怒られるけど兄ちゃんはワイの自慢やねん!
ゴチソーさん

………

その夜…
ロイヤルゴージャス荘
ようワレ~ミナミ行くでー!! 付き合わんかい!!
えー!!

ど、どないしたんや兄ちゃん!
いつも金ない金ない言うてんのに…
ええからええから
今日はなーメッチャエエことあったよってお祝いやねん!! 呑むでぇー!
ほな、付き合うわ~
……

第１章

浪花食い道楽考

食べ物ネタだからって、コレを使うのは〜ベタすぎない？ニャ？
カシャッ
いや〜ベタベタすぎて…使わないと納得してもらえないでしょ？
写真撮ってる
ニャるほどー

●浪花っ子を魅了してやまない粉モン

大阪名物の食べ物といえば、タコヤキ、お好み焼き、串カツ、ホルモン焼き、キツネうどん……といったところでしょうか？　タコヤキやお好み焼き、串カツに関しては、今さら詳しく触れる必要はないでしょう。

しかし、これらの食べ物について何も語らずに大阪の〝食〟を論じるのは、「森を見て木を見ず、木を見て森を見ず」になってしまうので、浅薄（せんぱく）ながら少しだけ語らせていただきます。

まず、あなたはタコヤキには何をつけて食べていますか？　漫画の中でも触れていますが、「ソースで食べるのが本道で、マヨネーズをつけるのは邪道！」と、簡単に結論づけていませんか？　それとも、「いやいや、今やお好み焼きやピザをはじめ、いろんなものにマヨネーズをつけて食べるのは時代の流れだ」と、トレンドを追っていたりしますか？

そんな、個人の好みでどうでもいいようなことを仲間うちで大まじめに論じ合っていたら、出るわ出るわ、さすが大阪です。私の周囲だけでも、一家言お持ちの方が何と多いことか。

その方たち曰く、「ソースもマヨネーズも邪道で、王道は塩や。これがいっちゃんタコヤキを楽しめるんや！」「いや、醤油かポン酢やろ。具がタコなんやさかい、魚介類食べるときの要領や」「甘いな。何もつけんでそのまま食うてみぃ、これ以上タコヤキの味がわかる食い方があるか？」「わし、ソースもマヨネーズもベトベトにかけて、仕上げにケチャップかけるで。イタリアンタコヤキや」「アホ、そんなきしょいモン持ち出すな。そりゃゲテモンや！」「なんでやねん、ついでにチーズ乗っけてチンしたら、もっと美味いんやで」「そんなんタコヤキちゃう。やっぱソースやろ？」（※元に戻って繰り返し？）と、改めて大阪の食文化の豊かさに驚かされます。

まー、ケチャップやとろけるチーズは置いといて、醤油やポン酢、塩は試してみたいところですね。もっと書きたいのですが、タコヤキだけに終わるわけにもいきませんので、この辺で……。

お好み焼きについても、ソースが本道でマヨネーズは邪道という談議があるのですが、それはタコヤキと重複しますので割愛。ただ、〝お好み〟焼きというくらいですから、具材をタコに限られているタコヤキに比べ、食べ方や作り方も十人十色どころか百人百色、いやもっとあるでしょう。しかも、お好み焼きに関しては、強烈なライバルでもある広島のお好み焼きの存在がありますので、これもあまり詳しくやり始めると、無間地獄に落ちてしまいます。なので、ざっとだけ語らせていただきます。

大阪のお好み焼きの基本と言われるキャベツの刻み方について申しますと、はるき悦巳先生が漫画『じゃりン子チエ』の中で語っておられたように、「キャベツは千切りにしあたらアカン、とんかつの添えモンとちゃうんや」ということで、お店の人によると、「千切りより太く、しかし千切りより短くして、口に入れたときに程よい舌触りでほろりと崩れる程度の長さと太さにせなアカン」そうです。

「フムフム、なるほど」と、教えていただいた要領でそのサイズにキャベツを刻み、キャベツと卵だけのお好み焼きを作ってみましたが、なるほど納得、「こりゃ美味い！」。ちなみにソースは、オタフクソースを使いました。

お好み焼きというと、ネギ焼きを除いて、「お好み焼き粉＋キャベツ＋具材」というのが基本素材ですが、試みにキャベツの代わりにほかの野菜を使ってみました。

結果、白菜はけっこうイケますが王者キャベツには遠く及ばず、大根の葉がけっこう美味しかったのが意外でした。そして、キュウリを刻んで試してみて……、こちらは後悔しました。

●チャーハンをおかずにご飯を食べるって？

この際、「タコヤキをオカズにご飯を食べるか？　お好み焼きのほうは？」という質問も周囲に投げかけてみました。

「タコヤキをオカズにして食うことはあるけど、お好み焼きはちょっと……」「お好み焼きをオカズにして食うことはあるけど、タコヤキはちょっと……」という、どちらか一方ならオーケーという人はけっこう多かったように思います。

ほかに、「タコヤキ、またはお好み焼きをオカズにしてのご飯はオーケー。味噌汁の代わりにキツネうどんも」という剛（ごう）の者もいました。偏食による彼の健康具合が少し心配ですが……。

私は、学生時代を関西で過ごしたこともあり、ご飯＋うどん、またはソバというのは、ごく普通の「定食」だと思っていました。しかし、東京勤務になった折、関東の人たちと親しく付き合うようになると、これが関西地方独特の文化であることを知りました。確かに、どちらも炭水化物で、タコヤキをオカズにご飯を食べるのと大差ないですよね。

余談になりますが、中国語を学ぶようになって、ネイティブな中国の方といろいろと話す機会を持つようになりましたが、彼らによると、日本の中華料理店で出しているような「ラーメン定食」や「ギョーザ定食」、あるいは「チャーハンとラーメンのセット」なんていうのは、中国では有り得ないメニューだそうです。

中国では、ギョーザもラーメンもチャーハンもみな等しく主食、つまり日本でいうご飯の類いだとか。つまり、ラーメンとチャーハンのセットなんていうのは、チャーハンをオカズにご飯を食べるのと同じ感覚らしいのです。

「ふ〜ん、納得……」？　いやいや、十分カルチャーショックです。でも、この話をしてくれた中国人の友人によると、「それでも、日本のラーメンセットやギョーザセットは面白いアイディアだと思うし、しかも美味しいので、日本に来た中国人は面白がってよく食べます。私も好きですよ」とのこと。

なるほど、東京出身の人も大阪に住んでいると、いつの間にか「うどん定食」を喜んで食べるようになりますからね。

串カツを大阪で初めて食べたとき、ルールを知らずにタレに二度漬けしようとして、お店の人に叱られました。30年以上前の梅田での出来事です……。懐かしいなぁ。

慣れないうちは、〝二度漬け禁止〟なんて「面倒臭ぇ」ルールと思っていたのですが、今思うと、衛生面も含めて、いろいろ理にかなったやり方なのですね。どうしてもソースをもう一度つけたいときは、付け合わせのざく切りキャベツですくってかけるという技も、今ではかなり浸透していますね。

ふらりと立ち寄った串カツ屋さんで、見知らぬ人と同じタレを共有して串カツを食い、酒を呑む。時にはタレを付けるタイミングがかち合ったりして、「おっと、こりゃ失礼！」となって、それがきっかけで知らない人とも話がはずんだりして……。

いかにも浪花という雰囲気があっていいですね。ちなみに、私はエビの串カツが好き。あ、アスパラもいいかも！

さて、大阪では比較的見かけるのに全国的にはあまり知られてない料理に、ガッチョの唐揚げがあります。これは、ネズミゴチという小魚の一種を唐揚げにしたもので、お酒のつまみにとても合う美味しい一品です。

堺市から南側一帯、いわゆる泉南地方の呑み屋さんではごく普通に提供されているので、機会があれば、一度お試しいただければと思います。

実はこのガッチョ、キス釣りでは外道（げどう）としてお馴染みの魚で、見た目は今イチなのですが、天ぷらにすると本家のキス以上に美味しく、食通の舌をうならすとか。唐揚げならビールのツマミにベリーグーで、初めて食べたとき、「へぇ〜、大阪の魚もけっこういけるんだ」と、粉モン以外にも大阪には美味いモンがあると驚きました。

もっと知られていないところでは、泉州の水ナスがあります。水ナスというだけあって、ぎゅっと握ればジョボジョボと水が滴り落ちるくらい水分が多く、丸っこい形をしています。地元では生食するほか、お漬物にするのが美味しいので好まれているようです。私は、水ナスの糠漬けを乗っけたお茶漬けが大好き。

●ああ！　551ホーライのブタマンよ

けっこう有名な割に、扱われ方がマイナーなのが「いかなごのくぎ煮」でしょう。大阪というより大阪湾沿岸全体の春の味と言っても過言ではなく、昔は、春になるとどこの家庭でも、この料理を作っていたそうです。

関西からよその地域に働きに行ったり、大学に通ったりしている人たちは、いかなごのくぎ煮が実家から送られてくると、「お、もうそんな時季か、大阪に帰りたいなぁ」と思ったりするそうです。関西のソウルフードと言えますね。私が仙台で働いているとき、尼崎の友人がくぎ煮を送ってくれ、まだ春浅き東北で関西のにぎやかな春を懐かしんだものです。

さらに、大阪でも「何それ？　知らん！」というくらいマイナーなのに、料理するととても美味しい食材が富田林の「エビイモ」です。里芋の一種なのですが、地元富田林では、このエビイモを使った「富田林コロッケ」が大人気。ジャガイモを使った通常のコロッケと違って、エビイモ独特のほのかな甘さが人気の秘密になっています。コロッケ大好き人間の私にとっては、嬉しい〝B級グルメ〟なのです！

最後に、どうしても語っておきたいのが「ブタマン」です。大阪はもとより、関西一円では「肉まん」とは言わず、「ブタマン」と言います。「ブタマン」というネーミングが嫌だという女性もいるようですが、ま、それは置いといて、ブタマンと言ったら「551ホーライのブタマン！」と、関西人の誰もがそう即答するくらい有名なご当地グルメとなっています。

値段もリーズナブル。これも、大阪を代表する味と言っていいように思います。

新幹線に乗車中、新大阪駅を出たあと、車内に何となく漂う食欲をそそる匂いに、「！！」となった経験のある人は多いのでは？　恐らく新大阪駅で、お土産に、あるいは車内で食べるために「551のブタマン」を買った人が乗ってきたのでしょう。あの匂い、強烈ですからね。あの手の匂いは敬遠されがちですが、こと「551のブタマン」の匂いに関しては、大阪においては満員電車の中だろうと、「551のブタマンか……、腹減ったな、ワイも帰りに買うて帰ろ」といった気持ちにさせるなど、肯定的に捉えられているようです。

神戸南京町の老祥記（ろうしょうき）のブタマンや、元町・四興樓（しこうろう）のブタマンも有名で、とても美味しくおすすめです。

串カツ!!
大阪名物、浪花の味の一つ、串カツ…串カツは日本中にありますが…
大阪の串カツが有名な訳は…
その食べ方!!
ビクッ
アカン!二度漬け禁止!!
秘伝のタレ!!
SINCE 江戸時代
共用のタレで、二度漬け禁止という独特のルールが有名にしたのでしょう?
…でも、なんで、そんな方式にしたのかニャ?
かえって…、
面倒で…衛生面でも……?
初めての時、怒られた奴
……
タレを個別にする店も
タレ
増えたようですが、私は昔ながらのお店が好き
理由を店の方に聞いてみました…
なんで～?
へ?
ニャ
なんでって、アンタ…
ワイがこの商売始める前からせやったし～
とにかく昔から、せやったとしか、言いようがないわな～?
ワイが思うには～、多分、太閤はんあたりが～
こうやれって決めはったんと、違いますやろか?
はぁ?
豊臣秀吉がですか～?
ニャ
今の浪花のにぎわいの大元は、太閤はんが作りはったさかいなー!!
はぁ?
どなたか、理由を知っている方教えてチョーダイニャ

ラーメン三都物語＋1
京都を代表するラーメンと言ったら、やっぱり、
天一軒!!
白濁濃厚スープ!!
神戸を代表するラーメンと言ったら、やっぱり、
一面チャーシューだらけ!
神戸ラーメン第一旭!!
ニャー
チャーシューどっさり!!
…と、京都と神戸の代表的ラーメンはすぐ出てくるのですが…
大阪のラーメンって?
!
ニャ
…大阪は…うまいラーメン屋はぎょうさんあるんやけど…
どこが、大阪を代表する味かとなると…むずかしいな…
うまいラーメン屋さんが群雄割拠していて、ナンバー1は決めづらいってコト?
まーそーゆーこっちゃ
その点
有田みかん
我が和歌山はー
浪花っ子は
自分の好きな味が「浪花一や!!」ってトコがあるさかいな
なるほど
和歌山ラーメンうまいでー
有田みかん
?
アンタも〜
自分の気に入った味があったら、それを浪花の味やと思たらええねん
うん、わかった
だーかーらー
キー
和歌山ラーメンうまいんやー
……
和歌山の人ごめんなさい
和歌山ラーメン、ホントおいしいですよー!

定食屋始末記
ショーケースからオカズを自分で選べる食堂、最近減りましたよネ?
キンピラゴボウ
イワシの煮付け
色々選べて楽しいネ!
安くておいしいニャー!
大阪にはまだ、そんな食堂がけっこう残っています。

ある日、とある定食屋さんで、気に入ったオカズを取り出して食べたところ…
!
…どうも腹具合いが、!?、!?になりました…
ピコ
何ゆーてんねん!
自分で選んだオカズに当たったんやろ?
自己責任や!

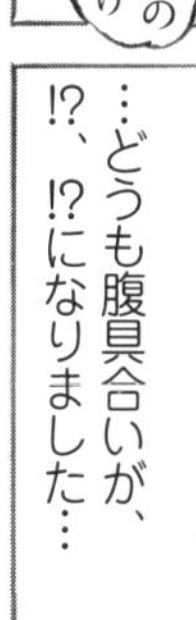

あのね、お昼に、このオカズを食べたらネ…
お腹が!? ?!だニャ
!

自分で勝手に食うとって、ウチのせいにせんといてや!!
ワタイがむりに食わしたんやないで!
はぁ〜?
そ、そんな〜

そんなカッコして店の中に立たれたら、ウチに何か落ち度があるみたいやないか?
いつまでも、そこに立っといたら、警察呼ぶで!
威力業務妨害ゆーやつや!
早よ帰り!!
論争で大阪のオバちゃんに勝てる者なし…
かなわねーニャ

終わりなき論争
大阪名物、浪花の味と言ったら、やはり〜
タコヤキ!!

東京あたりのパクリタコヤキは置いといて、浪花のタコヤキは〜
ソース！
で食うもんや!!
キッパリ!!

お好み焼きにマヨネーズは、まぁええやろ、
せやけど、タコヤキにマヨネーズはゆるさへん!!
そんなんヘリクツやんか!!

えっとーそのーウチはタコヤキは〜めったに食べないのでーここ3年間ほど〜
！
！

そのタコヤキについて今だ決着のつかない論争が続いている…
タコヤキにマヨネーズ？
そんなん、邪道やんけ!!

え〜？なんでやのん？
ワイはベトベトにかけまくるで、うまいやん!!
アホぬかせ!!
マヨビーム!!

で、オマエはどう思うンや？んー？
へ？
ボクら？

お、大阪在住でタコヤキを食わん？頭おかしいンとちゃうか？大丈夫か〜？
そんな…
タイミングが…

大阪の海はタチウオ色
大阪湾の秋の味!!
タチウオ!
すっげーキバ!!

その名の通り、その姿は、侍の使う太刀（たち）、そのもの!!
大きいヤツは2メートルを超える…

その味は、焼いてヨシ、刺身にしてヨシ、まことに美味!!

実はY君は釣り好きで秋になると、よくタチウオを釣って来る…
チワー!! 今年も釣って来ましたよー!! おスソ分け!!
ボクの分もさばいて～♡
ウン、いいよありがとネ～

Y君は魚をさばけないので、いつもボクがさばくのですが…、
毎年、新鮮で、美味しいタチウオが食べられるのはうれしいね…
ウニャ

けど…
冷蔵庫小さいし…
ウチはボクたちだけだし…
1匹ありゃ十分なんだけど…
ウニャ

もらってて悪いけど、
毎週、毎週～
タチウオばっかり、五匹も六匹も持って来ても食べ切れないよー
ニャ
えー？ うまいから、ええやないですか～ 遠慮せんでもええんですよー
美味しいのはモチロン、フィッシングも楽しいそうですニャおすすめ!!

お好み焼きの具
大阪のお好み焼きのひとつ、ネギ焼き
通天閣のごときネギの山が〜
子供の頃の夢とすると…
焼き上がると、アラ不思議〜
ほどよい厚さ!!
じゅううう…
人生の完成した大人の姿…
他のお好み焼き同様、ソースを塗って食べるお店が多いですが…
お刺身のように醤油をつけて食べるお店もあります。
に、
ちょんちょん
このほうが好きニャ。ネギの味が、はっきり分かって美味しいニャ!
お好み焼きなんだから、どう食べてもいいよね〜
だよね〜
だったら〜具材も、別に肉や魚介類に限らなくてええんじゃないスか?
たとえば?
ね?
たとえば〜、バナナとか、イチゴ、あ、チョコレートもええかも?
うぅむぅ
作ってやるから、食ってみろ! バナナチョコ玉ミックス!!
……
うわっ! メチャうまそー…でも、ちょっと小さいスね? もっと大きくても…
食べりゃ分るよ。ソースで食え!!
全部食えよ!!
……
そして一時間後…、食べ切った!
ワイが間違ってました。お好み焼きの具材は〜
魚介や肉に限ります…
分かればよろしい!
食べ物をオモチャにしてはダメ!

育ちがわかる!!
近所の駄菓子屋さんの前に
がきんちょ屋
高級車BMWが停まってました。
BMWの中で、成金風のマダムと女の子が何か食べてました。
おいしー
うん!!
それは〜
「えびせん」ってあるでしょ? オレンジ色の平ぺったいおせんべい!
エビ〜♡
その、エビの上に目玉焼きをのっけて〜
EGG ON THE しゅりんぷけーき!
その上にソースとマヨネーズをドバドバかけて〜
マヨネーズ
ソース
ドバドバ
で、このジャンクフードを召し上がっていた訳です。
ほほ…おいし…
BMWに乗っても育ちは隠せないニャ!!
ねーうまそうだね?
ウチでもやってみない?
アホッ
来月で52才!!
きせのさと
ンなモン食うたら、血圧上がって血管がブチ切れるワイ!
知ってる人、感想聞かせてニャ

2017年 3月

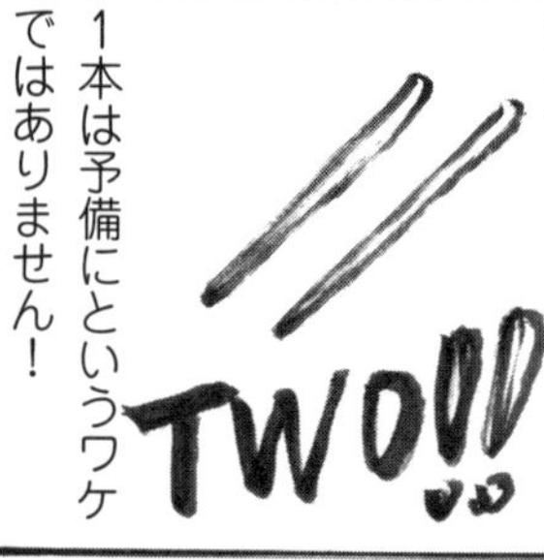

このように、タコ焼きをはさんで、
食べられるからだそうです。

溶接工のような顔全体を覆うサンバイザーのオバちゃんも…
ほほほ
実在します
うう……
下のスパッツはヒョウ柄よ!!

実験してみましょう
大阪名物551
ホーライのブタマン!!
551
とってもおいしいニャ

帰宅中のサラリーマンさんが、ブタマンの紙袋を持ってました。
帰って食べよー
楽しみだー
551

それを見た、となりのサラリーマン、
お
551のブタマン！
551

ぼそっ
…551のブタマンの〜
ある時〜

彼のつぶやきを聞いた瞬間、周囲の人たちが…
ひゃはははは

大笑いのあと、人々はだまって去って行きました…
お互い全く知らない他人どうし
え、え、何かの撮影ですか？
仲間外れにされた…？
興味がある人は繁華街で実験してみましょうニャ

ああ、ブタマン…
551のブタマンのある時ぃ～
ヒャーハハハ～!!
おどれのアニキのせいで、金○がむちゃくちゃに腫れてしもたやないか!!
ヒヒヒ…
!
どないしてくれるんじゃい!
ようやく人並になったとも言うけどな!!
おう、また、お前らか!!
あ!!
マズい!! また、このタイミング!
あ、兄ちゃん
おどれも男やったら、顔をうずめたいやろ!
でや!!

おう、コラ、相変らず、力一杯のアホのくせに、幸せそうにしてるやんけ!!
ヒヒヒ…
ホータイ
お返しに、おどれをどついて、力一杯のアホからかしこにしたるワイ!!
ゴメン…
アホなコト言うからや!
感謝せえよ!
ふかしたてのブタマンは～フロ上がりの女の子のオッパイに似てるやろ?
オ、オッパイ!
トホホ…
今日は胸か…?
ぎゃあ
食べ物を粗末にしたら…
アカンのちゃう?
スマン、スマンせやな。次から気イ付けるわ!!

大阪の人、ゴメンね
魚の美味しい地方から来た私には…
初ガツォの時季なのに
大阪の魚は高くてまずいニャン!!
その代わり、タコ焼きや、お好み焼きなんかは、
やたらとうまい!!
我が家の近くに美味しくて有名なお店があります。
その前に防弾チョッキを着用したお巡りさんが仁王立ちになっています。
また、発砲事件か何か？
サミットの関係かニャ？
へい！おまち！
タコ焼き4つとイカ玉3つ、オムソバ2つで合計○○○○円です!!
あ、領収書下さい!!
アテ名は
○○交番でお願いします
はー
そりゃお巡りさんだっておいしいモノ食べたいニャ!!
大阪やなー

名物に美味しいモノあり

第2章

浪花 my ダイアリー
—春—

やっぱ、浪花に春を告げるのは大阪場所だよね！
かんばれ〜！ 貴景勝!!
NHKには「春は選抜から」って言ってるニャン…

●関西では時は駆け足で過ぎていく

2016年3月、春まだ浅きみちのく仙台から大阪へと転勤になりました。神戸に2006年まで住んでいたので、関西は10年ぶりです。

神戸暮らしのころによく聞いていたAM1008kHzのABCラジオから、道上洋三(どうじょうようぞう)さんの声が聞こえだすと、「ああ、関西に帰ってきたんだ」と改めて実感が湧いてきました。

そして、ほかの地域の人にとっては、「あの人は今!?」的な存在になっている円広志さんの歌が流れてきて、上沼恵美子さんがテレビ以上のテンションでしゃべくりまくる声が聞こえてくると、「やっぱ、関西だよ。騒がしいなぁ～」とノスタルジーに浸れるようになりました。

東日本大震災の傷がいまだ癒えない東北の被災地に比べると、「ホントに同じ国なのか?」と思えるほど、賑やかで明るい大阪——。緩やかな東北弁と異なり、マシンガンのような早口で不必要なことまでまくし立てる大阪弁が溢れ、時間の流れが緩やかな東北と違って、時間も人も駆け足で流れていく……。「こりゃあ、慣れるのに時間がかかるなぁ」と、10年前は神戸市民だったくせに、妙に怖気づいてしまいました。

大阪で暮らすアパートの近くには、タコヤキ屋さんが2軒もあります。「仙台や鹿児島では繁華街にしかなかったよな、さすが大阪やな」と、妙なことに感心しながら、大阪での生活は始まりました。

●鮮魚に苦戦も粉モンで挽回する

大都会大阪は、タコヤキやお好み焼きといった粉モンは確かに美味しい。だけど、魚に関しては……。そりゃ、和歌山近くまで南下すれば美味しいものもありますが、その前に、値段がはっきり言って高いのです。

日常的に買い物に行く近所のスーパーマーケットで買う魚が安くて美味しくなければ、そこで生活していてもあまり意味がありません。ネットで産地直送の魚をアホみたいな高額で取り寄せても、そんなものは意味がないのです。

私は四国の生まれで、鹿児島、宮城と、魚の美味しい地に勤務してきました。カツオに目がない私にとって、鹿児島や宮城といったカツオの本場で働けたことは幸せでした。ところが、大阪に来て初めてカツオのたたきを食べて、「なんじゃ、こりゃあ？（松田優作風？）」となったのです。

買った店が良くなかったのだろうと思い、次の機会に某高級デパートの食品売り場で高いカツオのたたきを買って食べましたが、結果は同じ。以来、私はカツオが食べたくなると、四国の実家に帰ることにしています。

仙台では、小学校の入学式のころに桜が満開になっていましたが、大阪では、それより1週間くらい早い満開のようです。お笑いの本場だけあって（？）、大阪のお花見は賑やかで楽しいものです。ですが、よそから、とくに東北から来た人間にはついていけない部分もあります。

なれど、「郷に入れば郷に従え」です。目の前で吉本新喜劇が演じられていると思って、まずは楽しむことにしましょう。

怪しい海援隊西へ
2016年3月、宮城から大阪に転勤となりました。
関西は何年ぶり？
10年ぶりかな？

関西と関東の境界といったら、どの辺りでしょ？
関ヶ原？
うーん……
浜名湖？

地理的なコトはとにかく、感覚的には…
出汁がカツオ節からコンブに変わる辺り？
雑煮のモチが切りモチから丸モチに変る？

諸説ありますが~私にとって関西とは~
AM ラジオ 1008kHz 朝日放送が聞こえるエリア！
です。
ニャ

おはようパーソナリティー道上洋三です。
阪神が勝った翌朝には、六甲おろしをラジオで歌う道上さんの声がAMラジオで聞こえた時は~

ニャ
あ、道上さんだ！
関西に帰ってきたんだと実感したモノです。

そして、外しちゃいけないのが~あの御方!!
♬ちゃらら~心~晴~天~♩
う…
この声は…
ガッハッハッ上沼恵美子です
いやー全く衰えない、あのパワー！スゴい!!

浪花に春が来た！
3月某日、今年も桜が開花しました。
花よりダンゴ
ダンゴより酒
きれい…

巨大な力士たちが大阪の街を闊歩する
逸ノ城やっ
ごっつぁんです
通天閣よりでけえ!!
でけえ

そんな巨大な力士たちが、
連日スモウを取るのだ
のこった
のこった

ところで〜2020東京オリンピックで〜
なぜスモウは競技に選ばれなかったのでしょうか？
！

大阪に春を告げるのは、桜と…
大相撲大阪場所です!!

力士の中でも、特に体の大きな人はタクシーに乗れないので、
トラックの荷台に乗って移動する（ウソ）

大阪場所の間は
オロ？地震？
グラ
グラ
いや、碧山がコケた!!
大阪では地震が頻発する（ウソ）

そ〜れ〜は〜
ひひひ、
日本がメダルを取れないからニャン!!
国技なのに…
ガックシ
モンゴルが独占!!

桜の木の下には…？
今年も、お花見シーズン
真っ盛りなのです!!
ニャー
お笑いの本場だけあって？ 浪花のお花見は…
く、狂ってる…
ニャ
ぎゃーははは
ひゃっほー
そんな折に、鹿児島の友人から美味しい焼酎が届きました。
むかしむかし
うまそうニャ
焼酎はやっぱイモやっど!!
とーぜん、さっそく、
呑めっ
花見やっど
ウニャー
こ、これは！
わっぜか、うんめどおー
とっても美味しいという意味
うまくって、もー止まらんどー
ひゃっほー
うんめぇ
…でも、一升ビン一本は
呑み過ぎやね…
頭いて…
ポカリスエット

たくましい生命力

2019年 4月

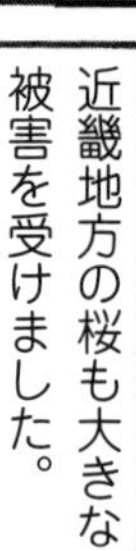

平成最後の満月
月や星空を見るのが好きです。
ガオオ
オメーネコだろ？
そりゃオオカミ男!!

万葉の歌詠み人のように、
目で楽しんでます。

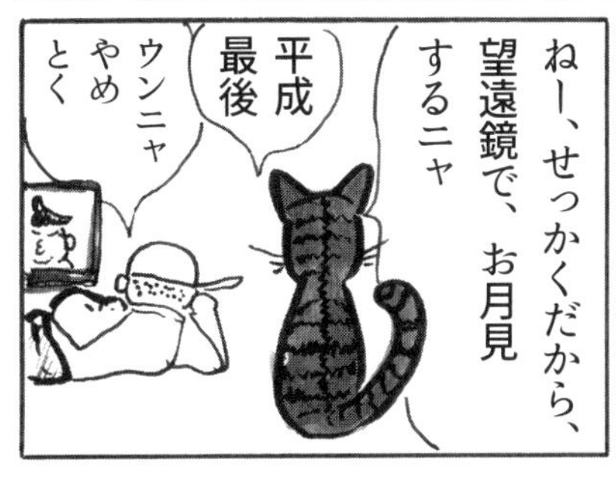
ねー、せっかくだから、望遠鏡で、お月見するニャ
平成最後
ウンニャやめとく

家のすぐ前が女子高なのニャン！
キャピ キャピ

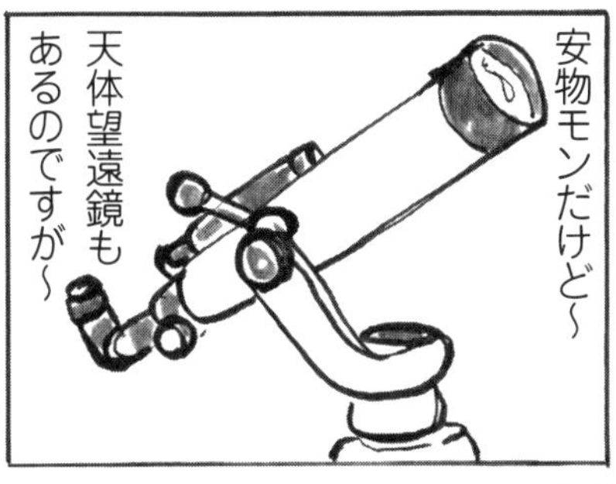
安物モンだけど～
天体望遠鏡もあるのですが～

2019年4月19日、
平成最後の満月……

なぜ、大阪では～
ヤツは望遠鏡を使わないのでしょう？
フンッ

望遠鏡を使うと～
あ
おまわりさんニャ
これ、これ、そんなモノで女子高をのぞいてはいけません
ちょっと下りてきてネ

第３章へつづく

第３章
浪花 my ダイアリー
ドドーン
ヒュルル〜
ヒュルル〜
ドーン
ドドーン
ー夏ー
天神祭りも行かず、
ＰＬの花火大会も行かず、
ウチはなぜ…
浜寺公園の花火大会…
だけニャ？
ウチのベランダで
ビール呑みながら
見られるンだから〜
最高やん⁉

●大阪の夏を不快にするヤツら

浪花の夏の行事というと、天神祭りやＰＬの花火大会を挙げる人は多いでしょう。天神祭りは、芸能人もゲストに来て大いに盛り上がりますが、私は人混みが苦手で、あの手の巨大イベントには近づかないようにしています。それに、花火ならば、我が家のベランダからビールを呑みながら見られる浜寺公園の花火大会で十分なのです。

私は、本来夏は好きなのですが、近年の猛暑にホント辟易(へきえき)しています。基本、エアコンを使わない私は、ここ最近のあまりの暑さのせいで、何度か身の危険を感じてしまいました。

一番暑かったのは、２００７年に勤務していた横浜、二番目が現在暮らしている大阪でした。やはり、都会の夏は暑い！　コンクリートジャングルで風通しの悪い都会には、南国鹿児島に住んでいたときよりはるかに厳しい暑さがあります。

そして、夏の暑さ以上にうっとうしいのが蚊の存在です。大阪は古来、八百八橋と呼ばれ、水運が発達しています。つまり水路が多いのです。だから、蚊が多いのは当然！

我が家の場合、前述の通りエアコンをあまり使わないので、夏は窓を開け放って生活しています。もちろん、蚊除けに網戸はしていますが、蚊のヤツらはどこからともなく侵入してきやがるからタチが悪い！

私は、いかなる生命も奪うのは嫌です。ゴキブリですら、侵入して来たら殺さずに外に放り出しますが、蚊だけは別。私の血を吸って満腹になっている蚊を見つけると、反射的にぶっ殺してしまいます。

そこで、先に予防策として、蚊どもが我が家に侵入しないよう、長澤まさみさんのＣＭでおなじみの虫除けアイテムを吊ったりしています。ところが、あれは虫全般にすっごく効き目がありますが、それでも蚊は完全には防ぎ切れません。そこで、止むを得ず殺傷沙汰になってしまうのです。

ところで、コンクリートとアスファルトに覆われた大都会大阪と言えど、セミは夏の間中、周囲の人間が発狂しそうになるくらいの音量で鳴いています。公園や道路沿いの並木、マンションなどの植え込みといった、ちょっとした土のある場所から地上に這い出てきて短い生命を一気に燃焼させるかのようにやかましく鳴きまくっています。

我が家の近所では、夏の終わりから秋にかけては、セミに加えてけっこうトンボも飛んでいて、夏の間悩まされていた蚊を退治してくれるので、こちらは助かっています。トンボって、幼虫のころは蚊の幼虫のボウフラなどを捕食し、成虫になってからも蚊を捕食するので、食物連鎖の関係で蚊の多い大阪には多く生息しているようです。

一つ不思議なのは、我が家の周りには、けっこうアゲハチョウなど蝶が多くいることです。蝶は花の蜜を餌としますが、幼虫のころは、モンシロチョウならキャベツの葉、アゲハチョウなら柑橘系の木の葉などをよく食べるのですが、ミカンで有名な和歌山県ならともかく、大阪にどうしてアゲハチョウがたくさんいるのでしょう？

我が家では、鉢植えのレモン（柑橘系）をベランダで育てていて、そこにアゲハチョウが産卵に来るのはわかりますが、その辺を飛び回っているアゲハチョウは、いったいどこからきているのか？　柑橘系の鉢植えを育てている家庭がそんなに多いとも思えないのですが……。う〜ん、謎です。

●甲子園球児の頑張りに柿ピーとビールで応援？

浪花っ子が好きなモノに、「巨人・大鵬・玉子焼き（古っ！）」ならぬ、「阪神・タコヤキ・新喜劇」があります。その阪神タイガースの甲子園でのホームゲームは、夏の全国高校野球大会の開催期間はできなくなり、タイガースは長い遠征いわゆる〝死のロード〟に出ます。

その間、トラキチたちは、甲子園でビール片手にタイガースの試合を観るという至福の時間を過ごせません。代わりに、トラキチを含めた野球ファンの楽しみは、高校球児のプレーを観戦することになります。

高校野球には、プロ野球と異なる魅力があります。一戦でも負けたら終わりというトーナメント形式の緊張感と高校生ならではのハツラツプレー。プロ野球とはまた異なる感動をファンに与えてくれるのです。

ただ、勘違いされることが多いのですが、甲子園は大阪ではなくて兵庫県西宮市にあるので、大阪人でも気軽に観戦に行けません。そんな中でも、明日のタイガースを背負って立つかもしれない若い才能を探そうとする徹底したトラキチは、タイガースは見られなくても甲子園へと足を運ぶのです。

ところが、意気地のない私たちおっさんファンは、猛暑の中で必死に母校の応援をする高校生に混じって素面（しらふ）のまま観戦するのは恐れ多いので、エアコンの効いた涼しい場所で柿ピーやサキイカをつまみにビールをあおりながらテレビ観戦することになります。

汗を流しながら必死にプレーする球児たちに、「すまんのぉ、おっちゃんはビール飲みながら、涼しいトコで観てるよぉ。悪いけど」と、心の中で謝りながら横着を決め込むのです。

ただ、近年の大阪府の高校野球はやたらとレベルが高いので、近所で開催される地区予選でも十分見応えがあるものになっています。甲子園と違って客席もガラガラなので、予選開催の球場まで足を運ぶ人もいます。

高校野球開催の間、甲子園でのホームゲームがなくなるとはいえ、阪神タイガースには地元大阪の大阪ドームでのゲームもあるので、タイガースの試合自体は楽しめます。しかし、「野球はやっぱり青空の下でやるもんだ、やっぱ甲子園がええわぁ」と、昭和アナログ人間である私は思うのです。

甲子園のスコアボード上の旗が浜風や六甲おろしではためくのを見て、「お、風が変わった。チャンス！」などと地元のウンチクを垂れることができるのも甲子園ならでは。

こういうことを言っていたら、オリックスファンの友人に、「大阪の球団ちゅーたらバファローズやろ、阪神ちゃうんやん！」って怒られました。確かにその通り。ごめんなさい、オリックスファンの皆さん！

嵐の夜に…
6月1日の夜は
激しい嵐
でした…
ゴオォ
ザザ
おウチの
中は…
安心ニャ
2016年
このレモンにアゲハの
幼虫が一匹
住み着きました。
ハ
モリ
モリ
そこへ、この大風です。
ゴゴー
ザザ
だ、大丈夫か
な、アイツ…
心配ニャ
お、
大丈夫
だった
か!?
へっへっ
どんな
もんだい
さて、ベランダで鉢植えの
レモンを育てています。
まだ、実が成ったコトは
ありませんが…
葉っぱを　食べられる
けど…
一匹だけ
だし…
見守り
ましょ
サンクス
翌日は風もやみ、雨も
あがり快晴　に〜
ツンッ
野生の生物って
ホント
強いで
すよ
ね!
どうでもいい
けど…
この
子を
食べる
なよ!!
時々　セミとか
食ってるの知っ
てるゾ!
ギクッ

浪花っ子にケチと言われた
我が家は電気代があまりかかりません。
しまり屋の多い浪花の人に「ケチ」と言われています。
ある夜、DVDで映画を見ているうちに眠くなり…
目がすっかり覚めてしまい…
眠くないの？
うん…
映画を最後まで見てしまいました。
節電のコツというほどではありませんが、使用しない時は、こまめにコンセントを抜いています。
Remove!!
このように抜かなきゃならないトコ回を…
横着こいて、このように外そうとして…
ああああ
何をやってるニャ
夜勤のときに
眠気ざましに！
やってみよか？
やめなさい!!
クセになるから…

上田正樹さん、ゴメンなさ〜い!!

夏の思い出！
今や大阪では、絶滅危惧種に指定されている、麦ワラ帽子をかぶってムシ捕りをしているよく日焼けしたガキンチョを目撃しました。

宮城や鹿児島では、けっこう目撃したけどね！
ムシ捕りはヘタクソニャ
あ!! 失敗

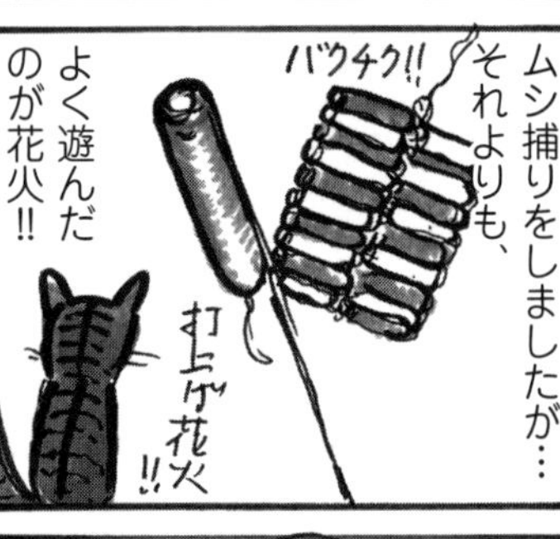
私も子供の頃はよくムシ捕りをしましたが…
それよりも、
よく遊んだのが花火!!
バクチク!!
打上げ花火!!

ほぐして、花火の中の火薬を取り出し…
銀色だったような？
マネしちゃダメにゃ!!

それを集めて、オモチャの戦艦の中に詰めて…
火薬
あーん、ボクのヤマト返してよー

それを池に浮かべて打ち上げ花火で
ドドドドド
ミサイル発射！
ミサイル攻撃！

ついには、中の火薬に引火して…
ドッカーン
撃沈！
こーゆークソガキが〜こーゆー大人になりますニャン

まさか…でも…
暑い午後、道端に…
あ!!
デッカい
Gにゃ

飼われていたモノではないでしょう？ 元気一杯で、
アハ
飛んで行っちゃった。野生だね！
ニャ

そんなトコですから、セミなんぞ、発狂しそうなくらい鳴いています。

で、その死ガイを…
アリンコの行列ニャ！
これも夏の風物誌だね？
わっせ わっせ わっせ
ゴチソーだ!!

近づいてよく見ると…
!
おどろいた!
カブトムシの♀にゃ
大阪にもいるんだねー

大阪は大都会なのに…
我が家の周りには緑地が多いせいか、色々なムシたちがいます。
あー！オニヤンマ！
ニャ

人を発狂させそうになるくらい熱く生きるせいか、成虫になって2週間くらいで死ぬそうですネ…
よく死ガイが道端に転がっています。

このアリンコ…
ヒアリじゃないよね？
え!!
まさか!!
ワテラ浪花っ子やで
ちゃうでー

マーズアタック!!

2018年7月31日、火星が地球に大接近!!
スーパーマーズにゃ!!

望遠鏡を使ったりすると
ウチは女子高のすぐそばですから…
のぞき!
ヘンタイ!!
ヤダー

ま、望遠鏡を使わなくとも、十分大きく見えました!!
火星見酒だ!!

杯に火星をうつして…
おっしゃれ〜!!

猛暑の今年、天体のすてきなショーに、
暑さをいっとき忘れました…

でも、地上に目を移すと、
やっぱり暑い!!
オメーホントダラシないな…
…ボクらは夏でも毛皮を着ているのニャン
マジアチィ

それにしても、女子高生の話す言葉はまったくわからん!
ヤダー
マジ
スーパーマーズにも全く感動しない彼女たちだけど…
話す言語は火星人語なのニャン

ムシのいい話？
長澤まさみさん!!
う、美しい！
その長澤まさみさんの〜
CMでおなじみの、
虫よけ!!
長澤まさみさんに忖度する訳じゃないけど〜
ウチは今年から使い始めましたけど〜メッチャ効きますニャン!! マジで!!
なにしろ、ケンカ相手が来なくなって〜
蚊が来ない夏なんてなんだかタイクツ…
と、相棒がさみしそうですニャ
ところで〜これって「虫よけ」であって「蚊よけ」ではないですニャン
ニャッ
つまり〜
蚊だけでなくて来て欲しい虫も来なくなりますニャ
蝶々とかトンボとか〜カナブンとか〜
別に来なくてもいいけど…やっぱ、虫も季節の風物誌ですニャ
さみしいョ…
虫好き
こんなコト言うとまさに「ムシがいい」と言われますけど…
蚊やハエだけ寄って来なくする「虫よけ」を作ってくれませんかニャ？
ダメ？
ウチのプランターのトマトはちゃんと実をつけたけど…
虫が全く来なくなったら〜実をつけなくなるかもね？？

今年の祭りは
オンラインニャ?!

第4章

浪花 my ダイアリー
―秋―

●だんじりが盛り上げる大阪の長い秋

大阪の秋と言えば、「だんじり祭り」を抜きにしては語れません！　そして、「だんじり祭り」と言えば、「岸和田！」と言われるくらい、〝岸和田のだんじり祭り〟は全国的に名前が知られています。

実は、私も通りいっぺん程度の認識しか持っていなかったのですが、今の場所で暮らすようになってからは、大阪南部一帯ではものすごい盛り上がりを見せる一大イベントであることを知りました。

〝岸和田のだんじり祭り〟は、毎年9月に行われるのが通例ですが、それから10月までは、地域ごとに時期をずらしたりして開催され、エキサイティングでソウルフルな行事をいろんな地域で長く楽しめるようになっています。

岸和田を中心とした大阪南部一帯の人たちにとって、「だんじり祭り」はブラジル人にとってのリオのカーニバルに匹敵するくらい壮大で熱い祭りといっても過言ではないでしょう。

大阪にきて初めての夏、近所の公園で、古タイヤの上にベニヤ板を載せて、その上に男の子が一人か二人乗って、それを友人たちが一生懸命ロープで引っ張っているのを見ました。

「部活の夏の特訓か何かをやってるんだろう」、なんて思って見ていたのですが、知り合いによると、「そりゃアンタ、子どもらがだんじり祭りの練習してるんですわ。待ち切れんのでしょう」とのことでした。

「へ？　ここのだんじり祭りは10月でしょ？」と問い直したら、「せやから、もう8月でっさかいなぁ、太鼓や笛などの鳴り物の練習も各地区始まってますし」との返答でした。

なるほど、確かに、あの子どもたちは、「そうりゃぁ～！」「そうりゃぁ～！」と、だんじりの掛け声を張り上げていたし、近所のだんじりの格納庫では、鳴り物の練習をやっていたのを思い出しました。

そして、「だんじり祭り」本番少し前になると、夜、地区の若い衆が集まって、大挙して「そうりゃぁ～！」「そうりゃぁ～！」という掛け声を出しながら練習を行い、否が応でも祭りムードは盛り上がっていきます。こうして本番2週間ほど前には、本番さながらに〝試験曳き〟が行われます。

夜中に大声を張り上げながら、街中を大勢の若者が駆け回ったら苦情も出そうですが、そうはなりません。何しろ、彼らは伝統と誇りの「だんじり祭り」の担い手、いや曳き手なのですから……。

そうしていよいよ祭りは本番へ。本番は、いやもうすごい迫力です。数百人の若い衆が何トンもあるだんじりを人力だけで曳いていく——。やがて、だんじりは見せ場の十字路での〝やりまわし〟へ。巨大なだんじりが、威勢のいい掛け声に合わせて、「グオオ〜」と向きを変えます。

若い衆の汗が飛び散る！　粋でいなせで格好いい！

●地域の理解と誇りが曳かせるだんじり！

我が家は、この〝やりまわし〟がすぐ真下に見えるという絶好のロケーションにあり、汗を流してだんじりを運行している人たちには申し訳ないけど、この素晴らしい祭りを肴に、毎年一杯やっています。もちろん、それだけでは関係者に申しわけないので、せめてもの気持ちとして、お花だけは毎年寄付させてもらっています。

素晴らしく、そしてすごい祭りで、この一帯で生まれ育った人たちが、だんじりを誇りとするのも納得です。「だんじり祭り」は、その開催期間で約50㎞を駆け回ったのと同じ運動量になるといわれています。それについても、一見して納得できました。
それだけの運動量なので、サポート体制もきちんとしていて、水分補給や栄養補給にあたる人たちが、水や食べ物を持って、だんじりにピタリと寄り添ってついていきます。だんじりを曳く体力はないけどサポートならばという思いで、老いも若きも、男も女も、自分の役割を十分に果たして、みんなで盛り上げていきます。

少子高齢化の波は、「だんじり祭り」についてもじわりと影響を及ぼしつつあるようですが、この祭りは大阪の誇りなので、これからも絶えることなく、続けて盛り上げていってほしいものです。
ついでながら、激しいやりまわしでだんじりが民家にぶつかって破損してしまったときは……？　そのときのために「だんじり保険」がかけられていて、そこから修理代が支払われます。いかに「だんじり祭り」が地域の理解を得て、伝統を重んじて行われているかの証しです。
あ、「だんじり祭り」だけで、この章は終わっちゃったけど、まあいいか。大阪の秋に関しては、「だんじり祭り」のことさえ言っとけば、まあ許されるでしょう？

停電中です
9月4日、台風21号が近畿を直撃‼
ドサァ!!
関空が浸水したり、大きな木が倒れたり…
2018年

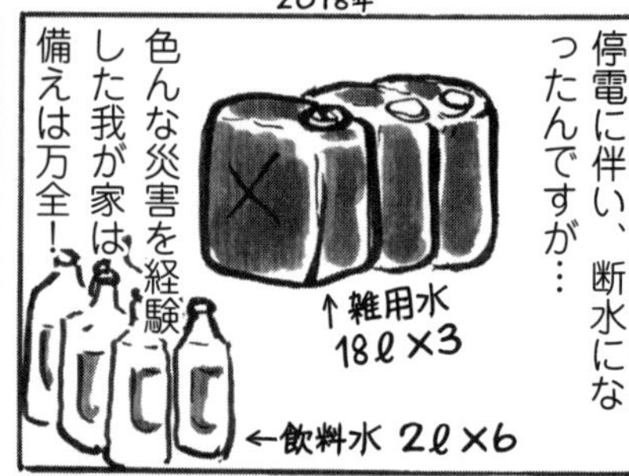
停電に伴い、断水になったんですが…
色んな災害を経験した我が家は備えは万全!
↑雑用水 18ℓ×3
←飲料水 2ℓ×6

家族の絆を強めるためには…
ロマンチックにゃ
うん
たまにはイイかも…?

停電で一番大変なのは…
洗濯だっ
セッセッ
ニャー

電柱が倒れたりして大規模な停電が発生しました。
ぐんにゃり〜
信号消えてる
曲がって変な方向を向いてるし…

ローソクの灯りだけ!
素朴でいいものです。

…うちは、停電ってあんまり関係ないんじゃない?
一カ月千円位の電気代なんだから…
う…

で、一生懸命働いたのに…
ビールがぬるくてマズイにゃ
停電中だって!
だーからー

前夜祭？？？
今夜は十五夜、
見事なお月様が拝めました。

十五夜のお月見の、我が家の定番は〜土佐の地酒に、戻りカツオ！
土佐鶴
司牡丹
うまい!!
カツオ♡!!

ホントはきれいな海岸でお月見やりたいところですが…

なにしろ、大阪の海ときた日にゃ……
悲しい〜色やね〜♪
…なモンですから〜

で、仕方なく、自宅のベランダでお月見…
それもまた、いとおかし…

その下をだんじり祭りの練習の若い衆が…
そうりゃあ〜 そうりゃあ〜
大挙して駆け抜けて行く…

そうりゃあ〜 そうりゃあ〜
わっせ
わっせ
浪花らしくって…
にぎやかなお月見ニャ
さーて、いよいよだんじり祭りの本番ニャ!!
ケガしないように楽しくやってニャ

日中友好！好！

中国語のレッスン、楽しいです!!
你都去过中国的哪些地方？
にぃー どう ちゅー ぐお つぉん ぐお だー なーしー でぃー ふぁん？

フフフ…
大分、発音が良くなってきましたよ!!
しぇー しぇー
プッ

さて、大阪には中国から多くの観光客が来ます。
好
是
対
是
対
好
好
好

記念撮影をしている人たちがいました。
請笑
好
好

よせばいいのに…
让我拍!!
ランウォーバイ
「私に撮らせて下さい」

返ってきたのは、ドトウのような中国語！
好!!
ぜんだ？
しぇーしぇー
はおだ!!
好!!

請笑一下！我照啦
笑って〜撮りますよー
ニャ
好
好
好
浪花の人たちはやかましいけど…
中国の人はもっとやかましいニャ
上沼恵美子さんとさんまさんが漫才してるみたいニャ

泉南の誇り
だんじり祭りを初めて見た！
ドドンッドドン
そうおんそうおん！
そうおれ
ドドン
交差点でのやりまわし！すごい迫力！
そうおれ
そうおれ
我が家はこのようなロケーションで…
ここでやりまわしをする！
運行経路
まさに特等席!!
すっげえ～
そうおれ
できれば、私もあのイカしたハッピを着て参加したいけど～
いなせだね－－！
きりり～！
ヨソ者なので、おとなしく見物です！
見るだけでも十分ニャ!!
うんサイコーの肴だわ！
そ－れ!!

第5章へつづく

いよいよ
鍋料理のおいしい
季節ニャ！

第5章

浪花 my ダイアリー
―冬―

●初詣の信心より年末ジャンボの夢

大阪の冬は、それほど厳しくありません。そこで、大阪の人は冬でもよく外出し、正月は住吉大社や今宮戎神社の初詣などにこぞって出かけるのですが、私の場合、人混みが苦手なのでどちらも行ったことはありません。なので、年末年始の主な楽しみは、年末ジャンボ宝くじということになります。

この年末ジャンボ、昔は一等当選でも賞金は確か2000万円だったように記憶しています。それが、今や一等前後賞合わせて何と10億円！　昔は「一戸建てが買えるなぁ」という認識でしたが、今や、当選最高額は数十倍に。一戸建てどころか自社ビルを建てて会社を興せるくらいです。私は元来ギャンブルをしないのですが、年末ジャンボだけは別。それも毎年100枚買っています！

私はこの宝くじを、南海電車堺東駅の高島屋出口を出たところの売り場で買うのですが、実は、そこから少し先に行った所にすごく良く当たることで有名な売り場があったのです。「ま、いいか。来年そっちで買えばいい」、……ん？「いや、今年のが当たるから、来年買う必要はない！」、そう思っている令和元年年末のこのごろです。
実は、例年この宝くじを買っている売り場が、通っている中国語講座の教室の近くなので、去年はレッスン前に購入しました。購入日がたまたま発売最終日になったので、受付の美女に、「今日が最終日ですよ、もう買いましたか？」と教えてあげました。
すると、「は？」と言うので、購入した宝くじを見せて、「年末ジャンボですよ。当選金額10億円の」と説明しました。そして、「今日が最終日で18時までです」と伝えると、「あ！　忘れてた」と、彼女は大慌てで買いに行ったのでした。
10億円の魅力からなのか、大阪人ゆえの行動なのか、美女が年末ジャンボ宝くじを慌てて買いに行く姿が見られるのは大阪ならではでいいですね。
え？　私が去年買った年末ジャンボの結果？「はは、当たってりゃ今年は買いませんよね」。

●転勤族の我が家の雑煮はおすましに

さて、年明けてお正月。あなたの住んでいる地域のお雑煮は、どんなものでしょうか？
私が現在暮らしている大阪南部では、白みそが主流のようです。何度かご相伴（しょうばん）にあずかりましたが、なかなか美味しいものです。

転勤族の我が家のお雑煮は、主義主張のないおすまし。おすまし雑煮のいいところは、飽きてきたら（ていうか、正月3日にはもう飽きてしまう）、カレーのルーをぶち込んで和風カレーにできるところです。甘みの強い白みそのお雑煮などではこうはいきません。

お正月は、1年のうちでも朝から酒をくらっても許される唯一の期間だと思うので、この際、私の好きな大阪のお酒についても少し触れておきましょう。

まず、断トツで好きなのが「呉春（ごしゅん）」という大阪池田の日本酒。辛口ですっきり呑み易く、お豆腐や白身のお刺身に合い、おでんやブリの照り焼きといった濃い味の肴にもよく合います。〝冷や〟をぐいのみでクイッとやるのが一番好きな呑み方です。値段もリーズナブルでいいのですが、呑み過ぎるので気をつけなきゃ。

それから、河内長野の「天野酒（あまのさけ）」も気に入っています。これも辛口でコシ、コクがあっておすすめ。「だんじり祭り」を見ながら、ガッチョの唐揚げを肴に呑みたいですね。「呉春」が独りで白身魚の刺身を肴にじっくり呑みたい酒なら、「天野酒」は仲間とワイワイ、コップでいきたい酒です。

この二銘柄以外に、寒い時期なら、兵庫の「剣菱（けんびし）」も燗してよく呑みます。しかし、普段は焼酎の黒霧島をたしなむ程度なのです。

お酒の話に続いて、冬と言えば鍋ですね。大阪にもいろんな美味しい鍋料理がありますが、冬と言えば「おでん」。大阪では「関東だき」と呼ばれることもあります。その大阪のおでんに欠かせないのがクジラの〝コロ〟でしょう。コロはクジラの本皮のことで、ほかに、舌の部分である〝さえずり〟も人気ダネです。

２０１９年、日本はＩＷＣを脱退して商業捕鯨を再開しました。「え？　クジラ」と、食べることに抵抗のある人もいるようですが、大阪では、商業捕鯨の禁止期間中も、おでんダネとして普通に使われていました。もちろん、調査捕鯨で捕った合法のものです。「コロが入ってなけりゃおでんじゃない」という人もいるくらいですから、これも大阪の冬の味覚の一つでしょう。

前述の「呉春」を初めて呑ませてくれた心斎橋のお店で、おでんのコロを初めて食べたのですが、とても美味しく、私には懐かしい大阪の冬の思い出として残っています。また、食べたいなぁ。

日本を守れ!?
クリスマスイブ深夜…
バリバチバリ

日本の良い子たちを西洋化するのダ!
ヨーシ!! では
オペレーション「サンタのプレゼント」開始せよ!!
イエッサー!!

すやすや~
そ~

ゴハンは頭が悪くなる
パンは頭が良くなる
ミソ汁は短足になる
ナットウは腐ったマメ

アメリカのマネしてカッコよくなろう
……
う~ん
……

パパー、朝はトーストにオレンジジュースだよ!
!お父さんと、呼びなさい!!

な、クリスマス・プレゼントなんてのは、悪の秘密結社、
雷のカラス サンダー・クローズの陰謀なんだからな!
だまされるなよ!!
うにゃうにゃ!!
…毎年~ だまされてやるのも、クリスマス・プレゼントですニャ…
今年もプレゼント買わずにすんだー
ラッキー

愛される理由（わけ）
大阪には美人が多い（本当）
ごめんね〜♡
先日結婚したMさんなんか、その典型!!
ケッ バカヤロー
でも、今の私がときめいているのは中国語講座の先生
さて、今日のレッスンは〜
ところでー
あなたは料理は得意ですか？
ハイ、独身が長いので、大概の料理はできます
請教教我怎公包。
作り方を教えて下さい。
ちんじゃお じゃお うお ざまばお。
だけっ て…
だけ、クスクス…
大阪に美人が多い訳は…ド助平の豊臣秀吉が…
日本中の美人を大阪に集めるのじゃ!! 予は太閤なるゾー！
我在包餃子呢。
私はギョーザを作っています。
うぉ ざい ばお じゃお ずな
ニャー
フーン…
中国では、料理が得意というのはモテる条件の一つです
アナタは、その条件ダケはクリアしてますね
だけ
だけ…
つまり〜
中国でも日本でも一番大事なのは、「見た目」ってコトニャ！
…

買わなきゃ当たりません
年末ジャンボ宝クジを買いました!!
夢へのパスポート!!
年末ジャンボ
宝くじ!!
10億円!!!
100枚!! 3万円也!!

ま、当たる確率は…雷に打たれる確率より低いそうですけど…
ぐふふ～フェラーーリ買って、それからおヨメさんを…
もう当たったつもりニャン…
ポルシェもええな

その日は、ちょうど数字のレッスンだったので～
じゃ、今日は中国語で10億と言ってみましょう！
ハーィ
ECC
中国語

で、先生は～
我想去巴黎。
私はパリへ行きたいです。
ほにほに
(土佐弁)
ECC
中国語

100枚もよく買ったな～ ですって？だ～って…
一等前後賞合わせて10億円ですニャ!!

宝クジを買ったコトを中国語の先生に話したら…
じゅ、10億円!!
太貴了!!
タイグイラ!!
ECC
子供用
中国語
初歩の
初歩
高すぎます!!

でも、だんだん話が…
10億円当たったら～
你买什么？
何を買いますか？
うぉ まい ふぇらーーり。
フェラーリを買います。

結局、何を買いたい、どこへ行きたいという話になりました…
マンション
人間の欲望に国境はありませんニャ!!

年末あいさつ！
2016年も残り少なくなってきました。
12月
21
水
先負
仏滅
古典的表現
今年もあと少しなのニャン
うん
色々あったネ
うん
カレンダー買った？
んーまだ!!
いいのが売り切れるヨ!!
うん…
年賀状は？
まだ
相変らず、年末ギリギリにならないとエンジンかからないねー
もう少し計画的にやらないとニャー
だね！
うんうん
しかし大阪は暖かいねー
雪のない年末は久しぶりニャン
…そだねー　4年ぶりか～？
仙台は寒かったー！
彼女もなく～
独りポッチで仕事だけはある、という年末年始は例年通りだけどね!?
……
来年こそ、ヨメさんもらえ！
オレも疲れるニャン
うるせーよー
呑めっ！
と、言うわけでどなた様も～
良い新年を迎えて下さいニャ!!
ペコリ

節分の豆
2月3日は節分ですね
ていっ ていっ

鹿児島では、ほぼ100％の家庭が落花生、ピーナッツを使っていました。
仙台も落花生が多かったですね。
PEANUTS!!

お店でも、落花生ばかり売ってましたニャ
節分の

で、大阪のお店では大豆を売ってました。
まめ!! 大特価!!

みなさんの暮らす地方では、節分でまく豆に～
何の豆を使いますか？
ニャッ!
豆!!
理由は…まいて床に落ちても、食べられるやっど!!
経済的&衛生的!
新聞

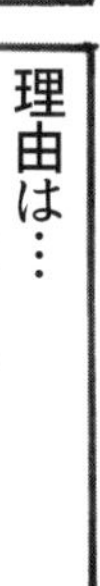

で、浪花では～
節分の豆？
あたりまえや!
大豆に決まってるやん!! 常識!!

…所変われば～って言いますけど、
水戸では～
納豆をまいたりするのかニャン？
アホか!!

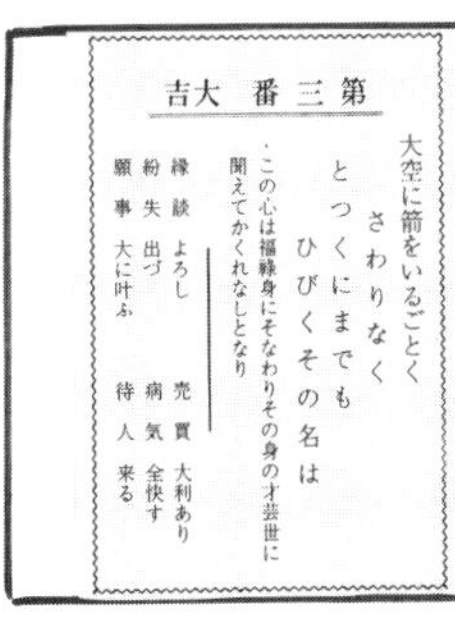
第三番　大吉

大空に箭をいるごとく
さわりなく
とつくにまでも
ひびくその名は

・この心は福禄身にそなわりその身の才芸世に聞えてかくれなしとなり

売買　大利あり
病気　全快す
待人　来る
縁談　よろし
紛失　出づ
願事　大に叶ふ

濃いキャラクターが
続々登場ニャ。

第６章

浪花な人たち

お母ちゃん
腹へった〜
アメちゃん
あげるさかい、
これ、しゃぶっ
とき!!
猛獣に
注意!!
CHANEL
ゴハンでけるまで
これでしんぼ
しとき!!

●浪花っ子の交通ルールはどこへ？

大阪に住むようになって最初に驚かされたのは、悪口になってしまいますが、浪花っ子の交通マナーの悪さです。信号無視の何と多いことか！　赤信号で飛び出してくる歩行者に何度肝を冷やしたことか！　その交通マナーの悪さに慣れてきた今でも、週に一度や二度は怖い思いをしています。

車やバイクさえも、時々信号無視をしているのを見かけます。大阪で車を運転する際は、交差点では異常なくらい慎重な運転が要求されます。

一度、お巡りさんに近所の交通マナーの悪さを訴え、苦情を言ったのですが、「はは、この辺はまだマシなほうですよ。××なんか、もっとヒドイんですから」と、まともに取り合ってくれません。

２０１８年、台風21号の関西直撃で大規模な停電が発生し、信号が消えてしまった交差点がたくさんあったのですが、私の知る限りでは、信号故障による事故はなかったように思います。

しかし、無事故の理由が、「普段から信号無視が多く、交差点でそれぞれが注意しているから」では、筋違いもいいとこ。自慢にもなりませんね。事故で迷惑をかけないためには、ルール遵守が大前提のはずです。

雨が降っているときに、傘をさして自転車に乗る人が多いのも大阪ならでは。私も、スマホをいじりながら傘をさした、咥（くわ）えたばこの自転車に轢（ひ）かれかけて転んだことがありました。

その時、自転車の主は何も言わずに立ち去ろうとするので、「一言、詫びたらどうなんだ！」と文句を言ったところ、「ぶつかってもいないのに、何で謝らなアカンのや」と怒鳴られてしまいました。大阪ではそういうローカルルールなの？

いきなり悪口ではじまり、大阪の魅力を伝えるのとは違う方向へ行ってしまったので、話を変えましょう。私は、神戸で学生時代を過ごし、就職してからも何年間かを神戸で過ごしました。そのため、ある程度は関西人について予備知識はありました。

それで、２０１６年の春から大阪で暮らすようになったわけですが、漫画にも描いたように、ほかの地域の人たちと同じように、「大阪人も神戸人も大差ないだろう」という先入観を持っていました。

しかし実際に大阪で暮らすようになってみると、かなり違うことが分かりました。正直、神戸人はオシャレで服装にとても気を遣いますが、大阪人はサバけていると言うか、よく言えば大らか、悪く言うと無頓着な人が多いようです。

ただ、大阪人のファッションセンスが今イチというわけではなく、気合いを入れてオシャレしなくてはならない場面では、すごくセンスのいいオシャレをする人が多いのです。その「気合いを入れる場面」が神戸人に比べて少ない気がします。

ですから、大阪人側からすれば、「神戸人は、必要のない場所でもオシャレするええかっこしいや。タコヤキや牛丼食いに行くのにバリバリに決めて行くアホがいてるかい！」ということになるのでしょう。

●言葉遣いでは分からない大阪人の本音

大阪には美人が多い。――これはホントのことです。転勤の多かった私が、日本各地の女性を見て直接感じたことでもあります。

これについて、女好きとして知られていた豊臣秀吉が「日本中の美人を大阪に集めるのじゃ、予は太閤なるぞ！」と言って、美人集めをした結果、当時のＤＮＡが受け継がれて現在に至っているという説があります。どうやら、それは本当のようです。

余談になりますが、逆に、そのあおりを食ってしまい、美人がまったくいなくなり、逆のＤＮＡが受け継がれて現在に至っている、という残念な地域もあるとか……。

話を戻します――。「え！　こんな美人がなんでこんな所で働いてるの？」「芸能人がドッキリやってるんじゃないの？」と思うようなキレイな女性を大阪の街では時々見かけます。残念ながら、そんなベッピンさんは私にはハナもひっかけてくれませんが……。

そして、彼女たちが話すのは、もちろん大阪弁です。普通に話す分には、「こんな美人も大阪弁話すんだ。ほのぼのしてええなぁ」となりますが、これが言い争いの場になると、ものすごい迫力で迫ってきます。

交通事故現場で相手に食ってかかっている美女を見かけたのですが、彼女のすごい迫力とドギツイ大阪弁に、まくし立てられた男性はただただぼう然としていて、お巡りさんが必死で女性をなだめている――、という構図でした。

ま、人それぞれ。大阪にもいろいろな女性がいるから、中には、あ～ゆ～タイプの方もいるでしょう。そんな方もいれば、その逆も――。

あるとき、カッコいい高級外車が販売店に展示してあったのでふらりと中に入ったところ、受付でたいへんキレイな女性が応対してくれました。そこで出されたコーヒーを買ってきたばかりのタコヤキと一緒にいただきながら、彼女にもタコヤキ1パックを差し出したところ、「あら、美味しそう」と素直に受け取ってくれました。高級外車販売店の美人受付嬢とタコヤキ、大阪以外では有り得ないコラボかもしれませんね。

老いも若きも、男も女も、大概の浪花っ子たちに共通することと言えば、お笑いのセンスがあること、話し上手なこと、それと生活を楽しむのが上手なことといったところでしょうか？

生活を楽しむのが上手って、何？　と、思われるかもしれませんので、一例を挙げてみます。ある日、ショッピングモールのCD売り場に行くと、ドカジャンにニッカボッカ、地下足袋、頭は薄毛（？）、という中年男性が試聴コーナーでヘッドフォンを付けてノリノリで踊り狂っていました。

失礼とは思いましたが、「何を聴いているんだろう？」と気になってのぞき込んだら、DA PUMPの「U．S．A．」でした。「やるな！　イカスぜ、おっちゃん！」と応援したくなるようなひとコマでした。こういった、お金をかけずに日常を楽しむ術に長けているというのが、生活を楽しむのが上手ということです。別にケチ臭いわけではなく、横から見ていても何だかほのぼのとさせられます。

2004年にオリックスブルーウェーブと近鉄バファローズが一緒になって、オリックスバファローズになったわけですが、このときのエピソードが毎日新聞に載っていました。大阪人と神戸人の違いをうまく言い表していると思いました。

近鉄の流れをくむ応援団がヤジの大合唱をすると、これに、オリックスの生え抜きのスタッフが「品のないヤジで恥ずかしい」と顔をしかめた——、という内容でした。

似たようなことで、以前、甲子園の阪神戦に関東出身の友人を連れて行ったら、トラキチの応援&ヤジにびっくりしていました。

曰く、「阪神ファンって、阪神の選手にまでヤジ飛ばすんだね、怖いなあ」。どうやら、高額の年俸をもらっていながら、あまり活躍できていないない阪神の選手に、「こら！△△！給料分ちゃんと働かんかい！」などと声をかけることを、彼はヤジだと思っているらしいのです。阪神ファンからすれば、これは応援、愛のムチということですが……。

大阪府八尾市出身でコテコテの大阪人である元巨人のエース桑田真澄さんですら、「甲子園のヤジはキツい」と言っているように、やはり、慣れない関東の人には怖いものなのかもしれません。もともと大阪人とは言え、さすが桑田さんは紳士球団・巨人のエース、ただ黙って耐えられた様子です。

しかし、アニキこと金本知憲元阪神監督は、えげつないヤジには激怒し、「誰や？　今、言うたんは～！」と、スタンドまで駆け寄って行きました。ヤジは相手を見て、ホドホドがいいようで。

●「大阪のおばちゃん」の本領発揮！

浪花な人たちということで、欠かせないのが「大阪のおばちゃん」です。

熔接(ようせつ)用の作業マスクのようなサンバイザーを装着し、ヒョウ柄のスパッツを穿(は)いて、光物のアクセサリーを身に付けている——、それに、自転車には傘用のスタンドを装備し、いつ雨が降ってもいいように傘を自転車のリアタイヤの横に挟み込み、飴玉のことを「あめちゃん」と言う——。

「大阪のおばちゃん」に、こんなイメージを抱いている人は多いと思いますが、その大阪のおばちゃんは、イメージだけではなく、この世にちゃんと実在しています。

もちろん、その逆のおばちゃんも大勢いますので、勘違いされないように。ただ、全国レベルで見てごく普通のおばちゃんを漫画にしても、さほどウケないので、ここでは多少の誇張はご容赦ください。

そこで、そんないかにも大阪という恰好をしたおばちゃんの話です。夕方、お惣菜の安売りが始まったスーパーマーケットへと買い物に行ったときのことでした。

その日の夕食のおかずに何を買おうかあれこれ物色していると、横からいきなり件の恰好の「大阪のおばちゃん」が入ってきて、安売りコーナーの商品を根こそぎ持っていったのです。

私は、呆然とさせられるだけでした。

後で聞いたら、そのおばちゃんは、自分の経営する居酒屋で、その安売りされていた惣菜をつまみとして出しているとのことでした。

「はぁ〜」――。私は、そのとき、大阪のおばちゃんのたくましい生活姿勢に、ため息しか出ませんでした。

こ、怖かった…
信号待ちしてたら…
スッ…
となりに一人の男の人が来ました。

ラメ入り紫に…
ハートもようのジャケット!

やばい人ニャ
目を合わせないように…

遠慮せんと～
しっかり見てええんやで
ドキ
ドキッ

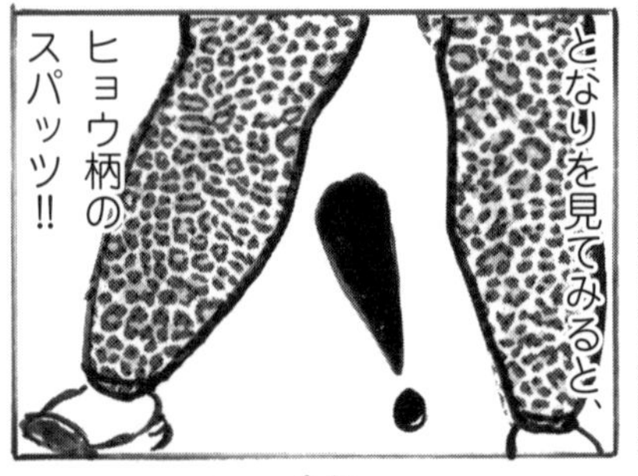
となりを見てみると、
ヒョウ柄のスパッツ!!

地肌の見える頭髪を無理やりツンツンヘアーにして、
金髪にして変なメガネ

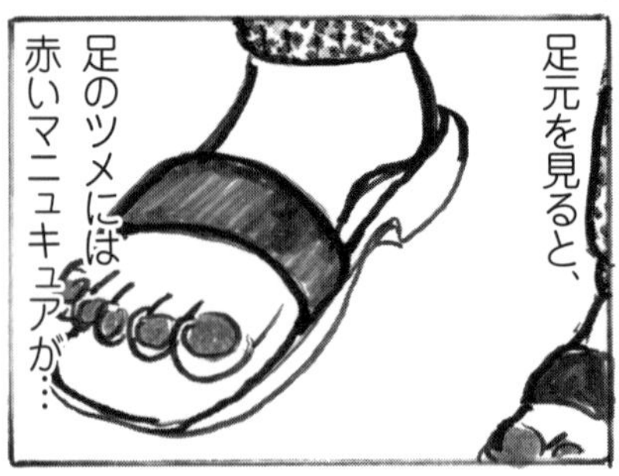
足元を見ると、
足のツメには赤いマニュキュアが…

いえ、あの…
え、遠慮してる訳では…
カッコええやろ?
サインしたろか?
ニャー

そ、そんな〜
ゴキブリに襲われた男、泉大津のY君が、
いらっしゃいませ！
ご注文を伺います!!
居酒屋でアルバイトしてたげな…
そこへ…いかにも!! な、かっこうをした、その道の方々がご来店…
お呑み物は〜
おす
いかがしましょう
ビールでええか？
おす
うん
兄ちゃん、ビンビールをこんだけや！
ビ、ビンビールを…
こ、こんだけ？？？
か、かしこまりました!!
……
ビ、ビンビールを……4本ですね？
ドアホー
5本じゃーナメとんのかー!!
ひーゴメンなさーい！
な、なんて理不尽な…って言えないけど…

よくある話?
夕方、近所のスーパーでおそうざいが安くなります。
何買うニャ
うーん おいしそうー
半額だって

根こそぎ買い占めるオバちゃん出現!!
はあ…そんな…
ほいっ
ドサ
…
ひどい…

いくら何でもそりゃムチャやで!!
なんでやねん!! 早いモン勝ちや!!

さらに、他の人も巻き込んで…
キィー
ギャーッ
このアホ女!!
何をー!!

と、そこへ…
あ!!

ちょっと!! アンタ!
待ちいや!

何言うてんねん。アンタ、自分の呑み屋で売る気やろ?
店で出したら悪いんか!? おー!!
けっ
にげよ…

こういう人は…どこの街にも一人くらい…
いる?
さあ?
大阪だけの話ではない…、多分…

浪花に捧げるエレジー

お、信号赤っ
止まるニャン

お〜アンタ奇特な人やんなー？
べつに、車、通ってへんやん!!

車も通ってへんのに〜
信号待ちするような人はアホ！やねん！
…
…

と、そこへガキンチョ♂推定6才
あ、ボクも渡っちゃえ〜！

それを制止するガキンチョ♀、推定10才、たぶん姉
だめっ待ちなさい！

信号は守らなきゃダメでしょう!?
うん…
危ないでしょ!?
わかった…

この一連の出来事を見てたオッサンは
…
そそくさと逃げて行きましたとサ。
あれがダメなオトナよ!!
うん
…
…残念ながら実話ですニャン…
浪花のオトナたちよ、ああ…

オバチャンの言う通りにしたら、かなり安く買えました!!

おもろい夫婦
ドライブが好きです。
お
何か、よさそうな道の駅だよ!!
寄ってくニャ
うん
道の駅
そこへ赤ちゃんを連れたご夫婦が、
来店!
奥さんのお土産物の山に手さげ袋が当たり…
浪花の
タコ焼きまんじゅう
あ!
お、拾いますよ!
まかせるニャン
すみませーん
赤ちゃん抱いたままじゃ…
ありごとうございます。
どういたしまして!!
ココまでならよくある話!!
ところが…
アンタ!あの人みたいに優しくできないの!!
なにおー!!
子供くらい抱いてくれてもいいじゃないっ!
私は荷物持ちじゃないのよ!
うるせーこのー
オレは運転で疲れてんだー
ど、どーしよう?
とばっちり食う前に逃げようニャン
夫婦マンザイみたいなカップルでした…

浪花の仙人
大阪のような大都会でも、よくセミの脱けガラを見かけます。
命は都会でも健気に力強く生きているんですね!!

セミの幼虫ってバ○ルタン星人に似ていると思いませんか？
ふぉっふぉっふぉっふぉ

さて、公園でよく見かける老人（男）がいます。
………
おシャカ様の苦行像をほうふつさせるような痩せた人です。
水

ぁ
ちーっス!!
暑いねー
ニャー
……
話かけると、返事をしてくれますが、何を言っているのか分かりません。

ある早朝、この人がいつものように瞑想？していたのですが…
毎日このカッコで瞑想している
…
…この人の肩に…
!

羽化したばかりのセミが！
!
……

自由研究で、セミの羽化を観察したことがありますので…セミの羽化って、たしか…6時間以上かかったと思うんですけど…ホントに、おシャカ様？
……
あのー生きてます？
ボクらが知らないだけで、有名なお坊さんだったりして……？

分からなくてゴメン
関西のローカル番組には宝塚歌劇の人が時々出ます。
星組の綺咲愛里さん、きれいですね～
宝塚歌劇を見たことのない人の宝塚のイメージは…
こんな感じ
ベルサイユのバラ
えーと

女性ファンが多いそうですが、男性ファンもけっこういます。
ん～ふふふ～
お、うれしそう！
何かいいコトあった？

見てよ！　星組公演の特別席のチケット!!
抽選で当たっちゃったもんねー　ウフフー
ど～だっ!!

よかったネ
で今日の先発は誰かな～？
秋山～
トラ3連勝
デイリースポーツ

そんな…
もう少しおどろいてくれても…
ん？

鼻ほじりながら…よかったネ…
ひううう

宝塚歌劇団の良さがわからない人がいるなんて
あ、え、海組ってイイよネ!!
そんな組ないよ…
ネコ組のトップスターですニャン!!
ア、ゴメン

体力のいる祭りです
マラソンシーズンです!!
エッホッ
エッホッ
ニャッ
ニャッ
毎日アホみたいに走っていると〜

よ〜アンタ、オリンピックに出られる訳でもないのに
よー
やるなー
なんでやねん?
絡んでくる人がいます。

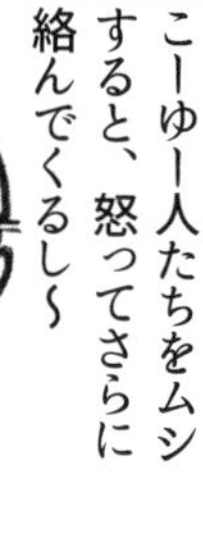

こーゆー人たちをムシすると、怒ってさらに絡んでくるし〜
マジメに回答すると、バカにされるので、良い対応を思い付きました！

オレが毎日毎日走る理由?教えてやろう！
それはなー
ニャー

だんじり祭りのためだ！
キッパリ!!
そーりゃー
そーりゃ
そーりゃ
ええええー

ま、毎日〜!!
だんじりのため!?
おみそれしました！
そりゃすげえ〜
分かればよろしい
ウムウム
大ウソ
ニャン！
クスクス

純情男のラプソディー
デパートの休憩スペースで中国語の予習をしてました。
火鍋很好吃、但是我还是最喜欢韓国烤肉。
うん、先生にほめられたい
熱心ニャ
ECC基礎
中国語
よう、アンタえらい熱心やな!!
へ?
学生でもねーのに!
それ、中国語だろ?
それだけはわかるぜ
え、あ、ひ…
ゴ、ゴメンなさい。う、うるさかったでしょうか?
いや…なに…
中国人のベッピンさんを口説きたいんだけどよ…
…
ズバリ聞くぜ!!中国語で〜
アイラブユーはどー言うんだ?
アイラブユー以外にもいろいろ教えてあげたら…
ありがとヨ!!うまくいったら、礼はするからヨ!
…うまくいかなかったら…
どーなるニャ?
…あの業界の人たちって、意外と純情なのかもニャ?
こ、怖かった…

関西人気質（偏見）
大阪人や神戸人から見た京都人…
ホホ
ブブ漬けでも食べておいきやすぅ
腹黒うて、何考えてるか、さ〜っぱり分からへん!!
神戸人や京都人から見た大阪人…
ボインは〜
赤ちゃんのためにあるんやで〜お父ちゃんのためとちゃーうんやでー
下品でガメつくて、さわがしい！
京都人や大阪人から見た神戸人…
国際都市港神戸
ハイカラでおしゃれー！
何が、ハイカラ、ハイカラや！この外国かぶれが！
表面上は？皆仲良くしてます…
ダセェな、こいつら…
下品なイナカ者め…
おもろない奴らやな〜
ホホ
へへへ
タコヤキ
だが、関西はこの三都市だけではない!!
みんな同じ近畿やん!! 仲良くしようやー!!
大津だよ!!
近江商人は平和の使者やねん！
びわ湖大ナマズ!!
じゃかっしい！
京都の盲腸はすっこんどらんかい!!
そんな
も、盲腸
タコヤキ
みんな、びわ湖の水のお世話になってるくせにね
ヒドいよねー
…話題になるだけええやないか…ワイは奈良やで…
で、和歌山は？
え？和歌山って、近畿なの？
殴るゾッキサマ！
三重とセットで
東海やろ？
有田ミカン

三都物語？
大阪と神戸には〜
空港があんねんで〜!!
…
やーいやーいやーい!!
…
ワシらは「府」なんやで〜
「県」？くっさ〜!!
…
ホホ…
ちゅー訳で、やっぱ大阪が一番偉いンや!!
なんやねんそれ、訳分からん!!
大阪だけな？
ホホ…そうどすな…あ〜おかし…
？
なんぼ偉そうにしたかて、な〜、ヒヒヒ…
なんや、その意味不明の自信に満ちた顔は？
ホホ、
ククク
大阪は横山ノックが知事をしてた〜!!
ワー!! そんなん、もう時効や時効〜!!
でも、横山ノックさんは神戸出身ニャ
パンパーン

ちょっと敗北感…
ザ・ドリフターズの加藤茶さんが、よくやってた～
加トちゃんぺのかっこう!!
それに良く似たかっこうのおっちゃんが、
我が家の近所によく出没します。朝6時半頃です。
加トちゃんと違うところは～
足元がアシックスのランニングシューズ!!
…あれ、2万円位するフルマラソン用の高いシューズだよ…
それであのスタイル…
ミズノのサンキュッパッ
他にも犬にブランド物の服を着せて
散歩させたり～
散歩させるオバチャンも～
ウンチ入れる袋
意味不明のブランド姿…
…ネイティブ浪花のみなさん…
ねー？
おシャレをする方向、間違ってません？こだわりは分かりますけど…
変なオッチャンや犬でもブランドを着ているのに…オイラって…
……

第7章

浪花な人たち

－若者編－

●マラソンの応援で分かった大阪人と東京人の気質の違い

50歳以上の読者の方なら分かるかもしれませんが、大阪を舞台にしたギャグ漫画に、「どおくまんプロ」の『嗚呼!! 花の応援団』（週刊漫画アクション／1975年～79年）という傑作があります。ナンセンスなギャグが盛りだくさん、下劣ながらバンカラな男の生き様をうたった内容で、実写版が映画化されるなど一大ブームを起こしました。

その登場人物に、薬痴寺（やくちじ）先輩という強烈キャラのOBがいて、彼が営むおでん屋台にかなり下品で気持ち悪いエロ、グロなモノが出てくるのですが、「どおくまんプロ」の漫画は大阪を中心に十分受け入れられたため、私もそれにあやかって漫画ネタを描きました。

とくに、この章のためにはかなり気合いを入れて、下品で気持ち悪いモノにも敢えて焦点を当てて描いたのですが、残念ながら、編集部判断でかなりの部分が削られてしまいました。どうも今の時代にはネタの内容や表現が一般受けしにくいという判断だったようです。いつの日か、その原稿が日の目を見てくれればいいのですが……、難しいかな？

ま、それは置いといて、転勤族で日本各地を転々として東京勤務の経験もある私には、東京人と大阪人の気質の違いがよく分かります。どこがどう違うと明確に文章にできるものではありませんが、実際どちらにも何年間か住んでみると、そこで初めて感じる「匂い」の相違とでも言うべき違いを感じるのです。

私はマラソンが好きで、下手の横好きながら「東京マラソン」も走った経験があります。「大阪マラソン」も、2019年の年末に走ってきました。どちらも沿道の応援がすごいのですが、その応援の仕方にも、やはり東京と大阪では大きな違いがあるように思います。

「大阪マラソン」では、沿道から「××大学（私の出身大学）、がんばれ！」と声を掛けられ、「ありがとう！」と応じると、「おっちゃん、ちゃうわ。あっち！」と言われ、「何やろ？」となっていたら、「せやけど、ついでや。おっちゃんも、がんばれ！」と応援してもらえました。このノリこそが、大阪風なんですね。

また、ボランティアでコロッケやメンチ、ミートボールなどを大量に提供してくださる会社があったのですが、フルマラソン中にコロッケなんか頬張ったら、喉に詰まります。それで、あるランナーが「コロッケは嬉しいけど、喉に詰まるやん」と指摘すると、「水はこの先にあるから大丈夫！」と、すぐ先の給水所を指さされたとのこと。こんな対応も「東京マラソン」ではあまりないことで、大阪ならではかもしれません。

「大阪マラソン」は、2019年からコースが新しくなりました。参加者がもらうオレンジ色のTシャツの背中に、そのコースと各チェックポイントが何キロ地点にあるのかが書いてあります。最近は、スマホで自分が今どこにいるのかすぐに分かるようになっていますが、私のようにスマホを持っていない人間には、このTシャツを着ている人が前にいると、「フムフム、ここは20キロ地点か」などと分かるわけです。

それで、あるおじさんランナーが、Tシャツを着た前を行くランナーがスピードを上げると、「ちょ、ちょっと待って。今、何キロ地点かチェックしてんねん」。そう言われた方は、「お、さよか。ほたら、もうちょっと見てええよ」、と。いやぁ、こういった漫才のようなほのぼのとした光景が自然に生まれるのも大阪ならではですかね?

●漫才好きの浪花っ子は一人遊びも上手

このように、大阪では一般の生活の中にも何げなく漫才のツッコミとボケが浸透しています。と言うより、生活そのものが掛け合い漫才のようになっている気もします。掛け合い漫才をやっていると言っても、一人でいるときは普通の人に戻っているというわけではなく、一人のときは一人のときで〝おもろい〟人なのです。

たとえばパチンコしながら「ああ、アカンアカン。またスッてもうたやん、今日の稼ぎつぎ込んでしもた。どないしよ、おかあちゃんに怒られるがな」、などとパチンコ台にぼやいている人がいます。

また、壁キャッチボールを延々二時間以上（つまり一試合分）汗だくになりながらやっている人などもいるのです。彼を観察してみますと、どうやら自分はピッチャーで、跳ね返ってくるボールの角度や速さによってバッターを想像しているようです。

「あ、ライト前にシングルヒット打たれた」とか、「三振や。今のは完全にオレの勝ち！」とか、ボールが頭上をはるかに越えると「あ〜、ホームラン打たれたぁ」とか、いろんな状況を想定しているようです。

三振を取ったときはガッツポーズを決め、ホームランを打たれたときはガックリうなだれ、ランナーが出たときはちゃんと牽制球まで投げています。何度も観察しているうちに「ウム、ただモノではない」と分かるようになったわけです。延々と観察している私もかなりヒマ人ですけどね、ははは……。

さて、大阪の若者はほかの地域の若者と違いますか？　と尋ねられたら、「いや、そんなことはないでしょう。しゃべる言葉が大阪弁というだけで、ごく普通の若者です」と答えるのが正しいと思います。ただ、前述した通り、大阪では生活の中にお笑いが浸透しているので、友人たちとのやり取りの中にも自然とボケとツッコミができているようです。これは、私の職場の若い衆の会話に限ってのことなのか分かりませんが……。

「オイ、お前。ボーナスどないすんねん？　お前のこっちゃから、もう全部使うてしもて残ってないンとちゃうか？」「そんなことないよ。まだ全額残ってるで！」「ホンマか？　珍しいな。何か買いたいもんでもあるんかい？」「有馬記念に全額ぶち込んだるんや！」と、このような漫才もどきの会話が日常的になされ、電車の中でも浪花っ子同士の会話が漫才のように面白く、最後まで聞いてしまった、なんてことがよくあります。

職場の大先輩が昼休みに居眠りをしていると、「じいさん、寝たまんま逝きよるかもしれへんから、そろそろ起こしたって」、なんてことを平然と言ったりしています。文章にすると、ギスギスした感じですが、ネイティブの大阪弁で言うと、吉本新喜劇の竜じいこと故井上竜夫さんのギャグのようで、かえって場が和みます。

でも、若くて元気な者が多い現場だから許されるのであって、いくら大阪でも、こんな会話を老人ホームでやったら……、ウケるかな？　いや、やっぱりダメでしょう。つまり、「ここまではお笑いで済ませられる、これ以上はダメ」といった線引きが浪花っ子たちは上手なのです。
私も漫画を描く際は、「ここまでなら許されるかなぁ？　これ以上はダメだろう？」といったコトは常に気を付けるようにはしています。が、イマイチ線引きが下手なのですね。そのせいで、気合い入れて描いた漫画もボツになったのでしょう。
ただし、削除されたエピソードの本人は、女性が毛嫌いする生物Ｇ（ゴキ××）と部屋の中でほぼ共生しているような男ですが、私から見ると、いかにも浪花っ子の男前のええヤツです。
しかし、その内面のすばらしさを紹介する前に、下品さや視覚的な不快部分などが先立ち、公開するには一般受けが難しいという判断があったようです。
あの「花の応援団」の登場人物のような魅力を伝えられなかったのは、少し残念ですが……。

浪花のオバチャンJr.
大阪は自転車が多い！ひと昔前の中国のようだ！
そして、そのマナーはメチャメチャ悪い！
小雨の振る中、ジョギングしてましたら…
あ、あぶねえっ
ギャーごめんなさーい!!

雨が降ると、片手でカサをさして自転車に乗る人も多いです。
それって危ないよ～
ニャー
カサをさして自転車に乗った女子高生がこちらへ突進してきます!!
あ!!
うげっ
動転してブレーキもかけずに突進してくる女子高生
ギャー

幸い、ケガはありませんでしたが…
いや、あのね…
チョットチョットー
何事もなかったように女子高生は、走り去って行きました…

あーゆー娘っ子が何年かしたら…
ウーム
浪花のオバチャンになる訳なのニャン!!

このハゲー！ by 某議員
我が家の周辺には、女子高生が多い。
キャピ
キャピ
…
なんたって、MYアパートの名前が…
ハイッ乙女通り!!
女子高の前にあるニャ
ギャッ

ある暑ーい午後、ジョギングから帰ってきたら…
ああ暑ぅ〜
バテたニャ〜
ゼーゼー
ハァハァ

帽子を脱いで水をかぶったら…
ひゃ〜気持ちいい〜!!
あ！
お！
え？

何？
ニャ
やだーちゃうやんッ
アハハハ

あのオヤジハゲとちゃーうやん!!
アハハハ

いっつも帽子かぶってるか、絶対ハゲやと思たんやけどナー!!
アハハ
……
もっと笑わしてほしかったよネ〜キャハハー
結局、
女子高生も浪花っ子、未来の「浪花のオバチャン」な訳でした。ニャン、ヒヒヒ…

それもまた、偏見!?
よくジョギングに行く浜寺公園は、関西のボート競技のメッカです。
ボート競技をする女性アスリートって…
すっげー体をしてます。
♀
ドドンッ
ドドーン
そんなピカレスクな女性よりも公園のノラネコの女の子たちに興味のある私…
あ、
また、♀ネコたちがダラしないカッコウで寝てる!!
ニャ
コラ!! キミタチ
そんなダラしないカッコウをするンじゃありません!!
チッ
あーうるせー
ニャ
女の子なんだからもっと、しとやかに〜!!
えっ!?
あ〜?
ニャニャ!!
女の子はしとやかに〜?
愛ダス
無木
足臭

やっぱ、女の子!?
やっぱピカレスクな女性よりも～
可愛い♀ネコがいいニャ
誤解です!誤解!
なんだヨー
ところで、人間同様にネコにも美人と、そうでないネコがいます。
ネコにも人間と同じように話しかける奴!!
おお～
おんしゃーげにまっことベッピンじゃの～!!
ワシもいろいろベッピンは見てきたが、おんしゃ、また格別じゃの～!
……
ボディラインがセクシーやがぜー
……♡
うな～
いい体の健康美がたまらんぜよ!
♡♡!
?え!
そんな～
ぽ!
「人を怒らせるのは真実である」イギリスの諺!!

よけいなお世話

近所の商店街を歩いていますと…
オロ？
ニャニャ

中学生が、スマホの「ながら歩き」をしながら、こっちに来ます。

人通りも多いし、車もたくさん走っているのに…
危ないニャ

…ここはひとつ、
おせっかいな注意をしてやりましょ!!
ニヤッ
ヒヒヒ

じ〜っ
じ〜〜っ

ぎょっ

な、なんですか？ アンタたち!?
ヒ、ヒトのスマホのぞくなんて…、し、失礼でしょ!?
ちょいと
ヒヒヒ
イヤ〜ゴメン、ゴメン。車にぶつかって死んでもいい位夢中になれるモノって何かな〜と思ってね〜、ゴメンネー

とにかく周りの迷惑にならないようにしてほしいニャンよ!!

お節介やきの浪花っ子
梅雨が明けました!!
暑さ本番です!!
あっ…

でも〜毎日呑んでいるかと言うと…
えっ!! 今夜は晩酌しないの!?
うん…今日は休肝日…

ビールは、毎月、びんビールをケースで買うけど…これはカン!!
一週一ね
ちょっと高い気がするニャン
ドライゼロ
Yuhi

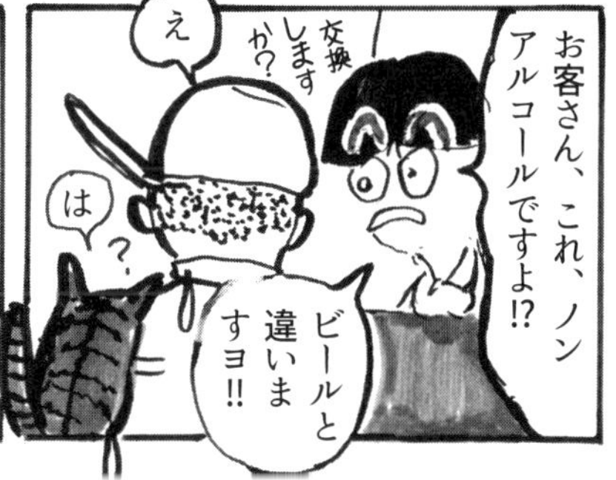
お客さん、これ、ノンアルコールですよ!?
え
交換しますか?
は?
ビールと違いますヨ!!

こう暑いと…
ビールがうめぇ〜!!

酒好きの休肝日の味方!!
ノンアルコールビール!!
味もビールによく似て〜
オマケにノンカロリーなのでうれしいっ!!
Alc 0.00%
Yuhi
ドライゼロ
ノンアルコール
ノンカロリー

ま、健康のための投資…
と言うコトで…
なーる!!
あー

………
…そんなに毎日呑みまくっているように…
見えるニャ!!
ちょっとショック…

アッカンベー
公園をジョギングしていましたら…!!
もわわ〜ん…
む!
ニャ

ゲホ、ゲホ
何? これ?
タ、タバコの煙!?
副流煙ニャ

おう、コラ おっさんっ ワザとらしいやないか!! あー、コラ
!
!

……
こっち来いヨ オウ!! はよせんかい コラァ!!

ダーッシュ!!
あ!!

ピュー
まてー
コラー

ギャー
くやしかったら追いかけておいで〜!!
ベーだ
ザマミロ!!
タバコを吸って不摂生で不健康な生活をしている人には、追いつけませんニャ

朱に交われば…
家のすぐ前が高校です。
女子高生がいっぱい♡
おお〜
ワイワイ ガヤガヤ
外国語講師の方でしょうか?
お、外人さんだ!!
HAHAHA
外人さんも、よく通ります。

アフリカ系の方でしょうか? スタイルのいい精悍な顔の方が
! 何か、かっこいい人!!
キリリ!
ピロロロ〜
ケータイ呼び出し音

イエス!!
ハロー!!

! せやねん。今から帰るとこやねん!! ハハハ、ンなアホな!!
何、言うてんねん!!
ちゃうでー

コ、コッテコテの
関西弁だ!!
ボチボチでんな!!

ほな、サイナラ!!
プチッ
あ、あまりにー
関西弁が流暢なので吉本の芸人さんかと思いましたヨ…
ところで…
皆さんは、ケータイはどっちの手で持ちますか? ボクは左手! 右手でメモしますニャ

第三者委員会を…？
阪神電車内にて…
なー？神戸はええやろ
うん、いいねー
ヨソの友だちを
案内してるニャン
大阪とは全〜然ちゃうやろ？ やっぱ神戸はええで〜
？
なんで？ オレには、神戸も大阪も同じに思えるけど…
何ゆーてんねん!!
ハイカラな神戸と大阪を一緒にすな!!
そんな、怒らんでもいいジャン？オレら〜
関東の人間には大阪も神戸も変わらんて思えるンだけど…
ホナ聞くけどな…
横浜も川崎も一緒やろって言われたらどーや？
冗談言わンといてくれよ!!
あんな下品な川崎と!!
ほれみい！
せやったら、分かるやろ神戸と大阪は全〜然ちゃうねん!!
うん
分かったョ悪かったゴメン！
…………
大阪の皆様、川崎の皆様、ゴメンなさい。実話です。

必殺仕置人？
ジョギング中に時々出会うこの人…
大型犬を散歩させているのですが…
はっきり言ってマナーの残念な人です…
くせー
彼らの散歩コースで、ある日、女子高生たちが、ハブアチャットしてました。
ヤダー
マジー？
カワイー
キャハハ
ちょっと君たち！
そんな所でおしゃべりなんかしちゃいけません
!
!
?
なんでやねん
どこでしゃべくろうが、勝手やろ!?
!
怒らない、怒らない血圧上がるよおっちゃーん!!
じゃ、お好きにどうぞ!!
どうしたニャ？
ギャハハハ
どうしたもこうしたもないよ!!あの子たちの足元に〜
フンフン足元に〜
ギャー犬の踏んだーー！
犬のウンコがあるコトを教えてあげようとしたのに…クスクス…
!

英名・ビーナスの唇

エサを消化するのに余分なエネルギーを使って、枯れてしまうんです。

ぐええ〜ぷ

つまり、食べ過ぎで死んじゃうんです。

ハエ取り草すら枯らしてしまうハエの群れって???
もう2鉢、枯れました…
お、恐るべし…

第８章

《インターミッション》

ちょっと、ひと息

浪花節なんかな？人生は？

●根底にある東京へのライバル意識

この章の漫画の締めくくりに、演歌歌手・天童よしみさんの「道頓堀人情」の歌詞を用いてみました。私はこの歌が大好きで、浪花の情緒や人情を謡った数ある名曲の中でも、最も好きな曲の一つなのです。

最初は、漫画の主人公「浪花の兄弟」が居酒屋で「やっぱ、浪花が一番や！」と語り合って終わるというカタチにしようと思ったのですが、たまたまラジオから「道頓堀人情」が流れてきて、その歌詞を兄弟に歌わせてみたところ、自然な感じで話がうまく収まったので、この曲を用いさせていただきました。天童よしみさん、作詞の若山かほるさん、作曲の山田年秋さんに感謝です。素敵な曲をどうもありがとう。

「道頓堀人情」に限らず、故・村田英雄さんの名曲「王将」の歌詞からも分かるように、浪花っ子のど根性やバイタリティーといったものの根底には、「東京に負けてたまるかい！」といった、東京に対する激しいライバル意識が流れているように思います。阪神ファンが巨人に対して抱く、異常なまでものライバル心と同じようなものです。

トラキチの友人が、「別に阪神が優勝せんでもええ。巨人戦で勝ち越してくれればええのや！」と言っていましたが、これは一部の阪神ファンの極端な気持ちではなく、けっこう多くの阪神ファンが考えていることに最近気づきました。

関西発祥の中華料理店に「王将」という有名チェーン店がありますが、この店の名前も前述の村田英雄さんの持ち歌「王将」から来ているのではないかと考えるのは、少し考え過ぎでしょうか？

歌の「王将」は、東京に乗り込んで大阪の心意気をみせた棋士・坂田三吉のことを唄ったものですが、関西発祥で、東京はおろか本場中国まで乗り込んでその心意気を見せている中華料理店「王将」、どこか似ていないでしょうか？

ただ、大阪人がライバル意識を抱いていると言っても、ライバル視されている当の東京人はまったくその気はなく、「大阪に負けてたまるか」というようなことを言っている人には会ったことも、そんな人がいるという話も聞いたことはありません。

こういった一方的なライバル視は、ときには片腹痛くなりますが、こと大阪の東京に対するライバル視は、妙に納得し、ときには微笑ましく感じるものです。

「浪花の兄弟」も、表面上は「別に東京をライバル視なんかしてへんでぇ」ってな態度をとっていますが、そこは浪花っ子なので、腹の底では「東京に負けてたまるかい」という気概は持っているように思います。

●早合点で慌て者の浪花っ子は勘違いが多い？

漫画の中でも少し触れましたが、言葉が似ている、あるいは文字の読み方が同じために勘違いしてしまったというような経験はないでしょうか？　そういった話を友人としていたら、おバカな勘違いをした人がけっこういました。ひょっとして、これも浪花っ子ならではなのかな？

有名な言葉の勘違いでは、「汚職事件」と「お食事券」がありますね。お食事券を配ったために汚職事件が暴かれたなどというのは、いかにもありそうな話ですが……。よく、ニュースで流れるフレーズに、「任期満了による△△市長選挙が……云々」というのがあります。これを、「人気が満量？　そんなに人気のある人がなんで辞めて選挙するんだろう？」と、子どものころに思ったという人が会社にもけっこういました。

勘違いの内容をすべてここで紹介したら、完全なネタばらしなってしまうので、似た内容を少しだけ紹介します。

美味しいとんかつを食べさせてくれる関西一円で有名な「ＫＹＫ」というチェーン店は、アルミサッシの会社「ＹＫＫ」に名前が似ているためによく勘違いされますが、この店舗名に似たものに、私たちのように現場で働く労働者間に普及している「ＫＹＴ」という言葉があります。「ＫＹＴ」は、現場でケガしないよう、いろんなケースについて話し合ったりシミュレーションを行う危険予知訓練を指す言葉で、その頭文字をとって「ＫＹＴ」（Ｔはトレーニング）と言っています。

それである日、大阪出身の若者に、「今日は昼休みにＫＹＴ（危険予知訓練）やるからな」と伝えたところ、彼は、ＫＹＫの美味しいとんかつを昼飯に食べさせてもらえると思い込み、昼飯を我慢して食べず、にこにこして事務所で待機していたのです。

さて、「浪花の兄弟」が漫画のような典型的浪花っ子になっていくには、やはり環境が影響しているように思います。また、浪花っ子を語る際に欠かせないのが大阪のおばちゃんですが、「浪花の兄弟」もその成長過程において、彼女たちの影響を強く受けたはずです。

ところで、「大阪のおばちゃん」本人たちは、たとえおばちゃんという自覚はあっても、そう呼ばれることは欲していません。というより、おばちゃんと呼んでも返事をしてくれません。「え、おばちゃん？　誰のことやろ？　ちょっとそこのアンタ、呼ばれてんで！」といった対応をされてしまいます。
大阪に来て間もないころは、その辺りの機微が分からず、おばちゃんと呼んで無視されたり、「誰がおばちゃんやねん、アンタみたいなおっさんに、おばちゃん呼ばわりされたないわ！」などと返されたものです。悩んだ挙句、「卒爾(そつじ)ながら〜」と、時代劇さながらの呼びかけをしたら、「アンタ、何時代の人やねん！」って、大笑いされてウケました。

●最強おばちゃんの天敵に鉄槌を下す

最近ではどこの街でも少なくなってしまいましたが、小さな子どもたちの溜まり場「駄菓子屋」が、うちの近所にはあります。ここで子どもたちの相手をしているのが、いかにもな大阪のおばちゃんで、割烹着と笑顔が似合う人です。
しばらくの間、試験や習いごとで忙しくて店に来られなかった子が、久しぶりにお母さんと一緒に店に来て、「おばちゃん、久しぶりやなぁ」と言ったら、お母さんに、「久しぶりですね、やろ。この子は！」と頭を叩かれていました。それを見たおばちゃん、「ははは、ええよ、ええよ。また遊びに来てなぁ」と笑っていました。子ども好きでなけりゃできない商売ですね。傍でやりとりを見ても、気さくで素敵な人だとわかります。

駄菓子屋は減りましたが、代わりにコンビニが増えて、今、子どもたちはコンビニで1個20〜30円のチョコレートや飴玉などを乏しいお小遣いをやりくりして買っているようです。コンビニでそんな子どもを見かけると、昔の自分を見るようで懐かしくなったりします。

子ども同士でコミュニケーションを深めたり、お金の大切さを覚えるためにも、近所のこうした場での経験はある程度必要ではないかと思うのです。「浪花の兄弟」も、そういった駄菓子屋などでいろんな経験をし、大阪のおばちゃんに叱られたり褒められたり、そしてときには慰められ励まされたりしながら成長していったのでしょう。

え？　なら、余計に子どもの未来が心配？　「浪花の兄弟」のようになってほしくない？　そりゃ、ま、そうですね。そこに関しては、反論できません……。

そんな、一見無敵に思える大阪のおばちゃんにも、天敵がいます。実は、大阪はひったくりが多いのです。千葉県が最多だった2010年を除いて、1976年から2018年まで、40年以上に渡って全国最多だったそうで、一時は年間1万件を超えて、「大阪名物」

とすら言われたことがあります。

　恥ずかしい名物ですね。幸い、警察や行政、地域社会の努力により、２０１９年はこの汚名も返上できそうとのことですが……。この被害に遭うのは、圧倒的におばちゃんたちが多いのです。

　社交的で、出歩くことの好きな大阪のおばちゃんは、ひったくりの被害に遭いやすいのかな？

「浪花の兄弟」には、漫画の中でひったくり犯を懲らしめてもらいました。逃げるひったくり犯を入魂の一球で仕留めて懲らしめたときに兄が叫んでいた「豪球一直線、藤村甲子園じゃい！」が分からない？　漫画家・水島新司先生の『男どアホウ甲子園』をご存じないでしょうか。

「ムムム、そうか……」、最近は野球漫画と言ったら『ＭＡＪＯＲ（メジャー）』や『ダイヤのＡ（エース）』か。年齢がバレてしまうなぁ。

　最近の野球部出身の若者が、「『巨人の星』？　なんでっか、それ？」と言う時代ですもんね。ちょっと寂しい……。

今の子どもたちの遊びの主流と言ったら、家の中でのゲームでしょう。それに比べ、私たちが子どものころは、日本中の男の子たちが野球をしていたように思います。もちろん、サッカー少年も多かった（野球も、あくまで遊びでする三角ベースとかの話ですが）。「浪花の兄弟」は、そんな子ども時代を過ごしたのです。

私も漫画の中での「浪花の兄弟」のように、融通の利かない機械ということで全自動洗濯機には文句を言いたい。

洗濯が始まるとフタにロックがかかって開かなくなるのは何とかならないですかね？洗濯が始まってから、「あ、ハンカチ入れ忘れた！」とか、あるじゃないですか。ぶつぶつ……。

融通のきかん機械やな
ワイの洗濯機やるさけ、これからは自分で洗濯せーよ!!
洗剤入れてスイッチ押すだけや!!

洗剤入れて…
スイッチ押すだけか？簡単やな？せやけど、洗剤用のカップって、こんなに小さいンかー？

ワイら肉体労働者は～やっぱ～
ごっつい汚れるさかい、もっとぎょうさん洗剤入れなアカンやろ？あのカップはサラリーマン用やろ？

ん!!
やっぱ、これで2～3杯は入れなアカンやろ!!
ラーメン鍋!!

そして…
よっしゃ、でけたで!! ワイかて洗濯くらいでけるんや!! どんなもんや!!
ウォッシュ
ウォッシュ

？
!!
ブクブク
ブクブク

兄ちゃん助けてー
あ～
？
家じゅう泡だらけやー!!

結果オーライ？
こんな簡単な仕事もでけへんのかー、お前みたいなアホはトウフの角に頭ぶつけて死んでしまえー
…
ワイみたいなアホは、トウフの角に頭ぶつけて…
死んで…
しまえ…
…アカン…なんぼやっても～
死なれへんワ…ワイはホンマダメな奴っちゃ、アカンタレや…
カントク、あきまへん、トウフじゃ死ねまへんわ!!
ホンマにやるアホがおるかい!!そんなアホはうどんで首吊って死んでしまえ!!
!!
う、うどんで首吊って…
し、死んで…し…
まえ…
やっぱあきまへん。うどんが切れて…
すんまへん!!
…
どないしましょか？
それ以来なー
カントクがメッチャやさしなってん、うれしいわー!!
お、おお…そりゃよかったの～、けど、これからはそうなる前に兄ちゃんに連絡せーよ…
ウン、わかった。けど～トウフで死ねる人って、どんな人やろね？
さあ？ よっぽど器用な人なんやろ？

○○正直とも言ふ…

きゅ、急に……
は、腹が痛い……
グルルル
キュ〜

GENTLEMEN
LADIES
ト、トイレ、トイレ…
あ、あった〜

ふう…間に合った…
え
？

便器内には
トイレットペーパー
以外のモノを
流さないで下さい。

トイレットペーパー以外のモノを流さないで下さい…
つまり

OK!
NG!
NOOOO—

ホンマ、アセったわ〜
大急ぎで、別のトイレ探して駆け込んだけど〜ホンマ、ギリギリやったわ〜
そ、そうか…間に合ってよかったなー。お前はホンマ正直な奴っちゃ!! 兄ちゃん、うれしいデ!!
正直者に幸あれ…

お勉強しましょ
米朝会談に世界の注目が〜
G20が大阪で〜
米朝師匠の怪談か〜
G20？
←G13
な〜、兄ちゃん
米朝師匠ってやっぱすごい人やねんな〜？
んっ
死んでしもて、もう何年にもなるのに〜
怪談噺に世界が注目してるんやて!?スゴいな〜!!
当り前やないケ!!
米朝師匠は、おそれ多くも人間国宝や!!世界も注目するワイ!!
フーン…
ニャー
それで、G20って何？ゴルゴ13のしんせきかいや？
せやさけ、おまわりさんが、ぎょうさん集まってんの？
ハハ、ンなアホな!!
G20のGはな〜
「ごっつい」のGや!!世界の、ごっつい国が20カ国集まって、会議するんや!!
へー
ほー
※Group of 20です。念のため!!
お前も新聞を読んでもっと勉強せなアカンで!!
子供の頃みたいにアホなことでダマされんようになるさけな!!
したら、
うん…
センタープールこれだ!!
住之江G1大予想
ボート
月食はな
怪奇月食ちゅ〜で〜っかい妖怪が、お月さんをかじってまうんや!!
ひいい…
うん

見てみぃ!!
お月さんが
欠けてきたやろ!?
今、妖怪
怪奇月食が
お月さんを
ガリガリか
じってんねん!!
ひぃぃ…
ジョジョー
お父ちゃんも
お父ちゃんやけど…
ダマされる
お前もお前
やで…
ボート
住之江
G1
大予想
センター
プール
これだ!!
んっ
どんな
デカナやねん!!
え、
同じ経験
あるって?
……
……

えーと…
阪神CS進出決定!!
日本シリーズ、行けるかな?
ハハ…むずかしいナ…
阪神が日本一になったら
阪神デパートで大バーゲンセールやるやろねー?
そりゃ
やるやろな
去年までは…
広島ばっかー優勝して、阪神デパートはバーゲンなかったし…
そら、仕方ないやろ?
しゃーけど、広島もケチくさい球団やんなー?
? そら、巨人やソフトバンクに比べたら…
―って
なんでじゃい?
だって…
大阪にも生協はぎょうさんあるのに、バーゲンせんかったやん?
?? 生協と広島が何の関係が…?
は…
!
ひょっとして…
広島の球団名は
?
広島東洋カープ!!
カープって…生協のことやろ!?
そりゃコープ!!
あ、頭痛なってきたニャ
!!

ワシもそう思う！
電車内にて…
ぐー
ぐー

ゴトトン　ゴトトン…

！
ぐーぐー
すやすや

お、着いたか…
梅田〜
梅田〜

兄ちゃん、よう寝てたな〜
ハハ…
戦士の休息っちゅーやつや、たまにはの〜

ごっついベッピンさんが〜
兄ちゃんの肩に頭乗せて、気持ちよさそうに寝てたで!!まるで恋人同士みたいやったで!!
！

ドアホ
なんで起こさへんのじゃい!!もったいない！
えーだって〜
ベッピンさんは、ながめてナンボやー！

遥かなる甲子園
……
……
あ
ど、どろぼー
ワタイの年金が〜
ヒ〜ヒヒヒ
ビイイイ
お
見とれよ〜
ドキドキ
どや!!
ギャー
ストライーク
兄ちゃん!!
これで!!
おっしゃ
まかさんかい!!
うおりゃあ
豪球一直線!藤村甲子園じゃい!!
©水島プロ
アンタらおおきにな〜
兄ちゃんゴメン!今、渡したの、兄ちゃんのスマホやった!!
なに〜

道頓堀人情
大阪に着任して一週間…
どうも私には合わんネ…
部長は東京生まれの東京育ちですからネ…
…
なんか下品で騒がしくて…
…兄ちゃん、東京の人から見たら、ワイら、浪花っ子は下品なんやろか？
さぁな…ワイは東京はよう知らん…
今日は串カツを…
串カツ…下品だね…
スンマヘンなー 見ず知らずの人に道案内させた上に…荷物まで持たせて…
そんな
ええんですよ～
兄ちゃん…
さ、信号変わらんうちに…
はい スンマヘン
うん…
やっぱ浪花は～
人情の街やな！ 下品やろと大好きや!!
!
へん、何を今さら言うてんねん！
ふられた～ぐらいで～♪泣くのはあほや
呑んで忘れろ 雨の夜は～
負けたら あかん 負けたら あかんで 東京に～♪
冷めとないやさしい街や道頓堀は～♪
未練捨てたらけじめをつけて～♪
きっぱりきょうから浪花に生きるのさ
チワー！
らっしゃーい!!
おう！ジャマするでー!!
道頓堀人情でした!!

第9章 大阪弁&我らがタイガース

●大阪弁を怖くてガラの悪いイメージにしたのは誰？

大阪弁あるいは関西弁に対して、ほかの地域に住む人は、どんなイメージを抱いているでしょう？　テレビで活躍している関西芸人の丁々発止の饒舌な話し言葉が原因になっているのか、「怖い」とか「ガラが悪い」といったネガティブなイメージを持つ人が、とくに関東以北の人たちに多いように思います。

確かに、ミス花子さんの「河内(かわち)のオッサンの唄」で有名になった河内弁などは大阪の中でもガラの悪い言葉と言われていますし、映画やテレビドラマなどでは悪役をやっている人は劇中でよく関西弁を使っています。

しかし、そこで話されている言葉が大阪のすべての言葉ではありません。大阪の言葉の中には、浪花の商家の言葉「船場(せんば)言葉」なども含まれています。船場言葉には、聞いていて気持ちが穏やかになってくる優しい響きがあります。

それに、吉本新喜劇の中で芸人さんたちが操る大阪弁は、決して怖いイメージを与えない言葉（悪役を演じる人の大阪弁は別）です。２０１６年に惜しくも亡くなった村上竜男さんが使っていた関西弁などは、怖いどころか落ち込んでいるときに聞いたら涙顔も笑顔になるような、優しく楽しい言葉でした。

私は18歳のときに神戸に来て、学生生活を始めました。これが私の関西弁との密接な関係の始まりです。その際、男子学生寮に入ったのですが、一部屋に四人が暮らす男臭い部屋で、同学年が四人で暮らすのではなく、1年生から4年生までが一つの部屋にいるという部屋割りでした。私が入った部屋は、たまたま2年生がおらず、4年生1名、3年生1名、1年生が2名（私を含む）という構成でした。

神戸にある大学のため、必然的に近畿エリア出身の人間が多く、関西弁が寮内の標準語としてまかり通っていました。しかし、私は四国愛媛の漁師町出身で、当時は姿格好も言葉も田舎者丸出しで、関西弁で話しかけられても、「?・?」と、すぐに反応できないことが何度もありました。

上級生に、「おう、ゴミほかしてこい！」と言われても、「ほかす」が分からない。言葉の雰囲気から、何となく〝捨てる〟ではないかと推察し、「ほかすって、まくることですか?」と聞いたら、今度は先輩が「まくるってなんや?」と。「まくる」とは、私の地元の言葉で「捨てる」ことです。

これに類似したことは枚挙にいとまがなく、「これ、かたしといてくれ（これ、片づけといてくれ）」と言われても意味が分からず、片づけないままいたので叱られたり、「茶ぁしばきに行こか？（コーヒーでも飲みに行こか？）」と言われても意味が分からず、茶筒をペシペシ叩いて首を傾げていたら、「なに、いちびってんねん！（何をふざけてやがる！）」とののしられたりし、そして、それさえ意味が分からない……。

「あちゃ〜、こりゃイカンけん！　ここじゃ言葉が通じんけん！」と、同郷出身の1年生と愚痴を言い合ったりしたものです。しかし、夏休みになるころには、すっかり関西弁に染まってしまい、出身地の四国の言葉を聞いても、「ふふん、田舎者め……」などと、いっぱしの都会人を気取っていたのでした。

●「チコちゃん」が教えてくれた優しい船場言葉の謎

漫画の中でも少し触れましたが、大阪の商家の言葉である「船場言葉」。このエッセイを書いているうち、NHKの人気番組『チコちゃんに叱られる！』の中で、大阪のおばちゃんはなぜ飴玉に「ちゃん」をつけるのか？　ということを検証していました。

検証結果によると、そのきっかけとなったのは豊臣秀吉が京都の商人を船場に集めて商いの町を作ったからというものでした。船場では、商売がうまくいくように、優しく丁寧な「船場言葉」を使い、主人のことを「だんさん」、娘のことを「いとさん」など「さん」付けで丁寧に呼ぶようになり、この流れで、飴玉にも「ちゃん」を付けて呼ぶようになったとのこと。

なるほど、さすがはチコちゃん、……じゃなかったＮＨＫ！　たいへん参考になりました。実にタイムリーな番組だったので、早速拝借させていただきました。

大阪には、不思議な読み方をする地名がけっこうあるようです。桜の名所の一つとして、「柴島浄水場の桜並木」があるのですが、「柴島」と書いて「くにじま」と読みます。普通、読めませんよね？　学生のころ、「くにじまの桜を観に連れてったろ！」と先輩に言われ、「国島」という地名を地図上で一生懸命探したけど見つからなかった、という経験があります。

また、「放出」と書いて「はなてん」！　なんじゃ、それ？　「ナゾナゾかい」と思ったものです。昔、「放出（はなてん）中古車センター」という名前の会社があって、「♪ハナテン中古車センター～♪」という歌の流れるＣＭが関西ローカルで流れていて、色っぽいお姉さんが

「あなた、車買う？」なんて語りかけていました。それで、電話番号の下四桁が「８７１０（はなてん）」。ここまでやってもらい、いくら田舎者の私でも、「放出＝はなてん」を理解するようになりました。

大阪弁による会話で、よく例として使われるのが、「儲かりまっか？」「ぼちぼちでんな」というやりとりですね。某引越社のＣＭで、外人さんが日本語を学ぶシーンが出てきますが、講師が「儲かりまっか？」と言うと、生徒の外人さんたちが「ぼちぼちでんな」と答える、というのがありました。関東の人はそれを見て大爆笑していましたね。

ラグビー日本代表として活躍した近鉄ライナーズのトンプソン・ルーク選手なども日本語（大阪弁？）ペラペラで、「儲かりまっか？」と言うと、「ぼちぼちでんな」と、気さくに返してくれます。話す機会があったら、私もぜひ声をかけてみたい。そういえば、外国人助っ人としてタイガースで活躍したオマリー選手も、親しみのある大阪弁で「阪神ファンは、一番や～！」と、ヒーローインタビューで叫んで喝采を浴びていましたね。

●愛媛出身の私がトラキチになるまで

さて、私が神戸に出て2年目——。忘れもしない1985年、阪神タイガースのセリーグ優勝、日本一達成がありました。とにかく強かった！　今でも語り草のバース、掛布、岡田の3連続ホームラン。あのとき、ホームランを打たれた槇原投手（巨人）の愕然とした顔を今も覚えています。

学生寮があったのは神戸なので、当然タイガースファンが多い。トラキチが集まる呑み屋がたくさんあって、タイガースが勝ったときは、必ずお店の中から「六甲おろし（阪神タイガースの歌）」の大合唱が聞こえてきました。当時、お金のなかった私たちは、そういうお店に潜り込んで、一緒に六甲おろしを合唱して、ちゃっかりご相伴にあずかったのでした。

ときにはバレてしまい、「ん？　何や、お前は～？」となったこともありましたが、「まーええわ、今日は阪神が勝って気分がええからおごったる！」てな感じで、結局おごってもらえたのでした。う～ん、いい時代でした。

先日、学生の頃お世話になった街で久々に呑んだのですが、「近頃の学生は、スマホやゲームに忙しいなどと、何だかんだで寮にこもりっきりで、ちぃ～とも呑みに来んわい」と、呑み屋のマスターがぼやいていました。ま、確かに寂しいことですが、当時の自分の親くらいの年齢になってみると、「学生なのに呑み歩くなんてけしからん！」と、寮にこもりっきりのほうがまだいいと思ってしまうのも、また事実。まったく自分勝手なもので……。

それで、地元にプロ野球球団のない田舎から出てきた山猿の私は、阪神タイガース優勝の恩恵にあずかり、徐々にトラキチになっていくわけです。そして、十分に関西に関する予備知識ができてからは、もっとディープなトラキチのお店に先輩方に連れていかれるようになりました。

某呑み屋さんでは、ツマミのメニューが、トラキチならではのネーミングで、慣れるまで時間がかかりました。慣れないうちは、「これ、何ですか？」と聞いていたツマミも、巨人の江川投手に負けたときには、「腹立つ！　江川の足！」という注文に、「フムフム、豚足ね！」と、納得したものです。

またもやＣＭの話になりますが、タイガースの監督をしていた岡田彰布氏が解任になったころのこと。タイガースの独身寮「虎風荘」を、背番号16（岡田監督の背番号）を付けた男の人が寂しげな背中を見せながらリヤカーを引いて去って行く――、そして「引っ越しのご用命は、岡田引越センターへ」のフレーズが流れる。笑っていいのか、悪いのか。よく分からないＣＭでした。

ま、阪神タイガースが大阪の人たちの生活の隅々まで浸透しているという一例でしょうか？　でもこのＣＭ、今ならいくら大阪でもいわゆる「炎上」騒ぎになってしまうかな？　いや、大阪なら大丈夫？

現在、大阪で暮らしているわけですが、職場の仲間たちを見ると、野球部出身が実に多い。ネイティブ浪花で野球部出身となると、ほぼ１００％の確率でトラキチなわけで、スポーツ新聞やファンクラブからのメールを読まなくても、職場の仲間に聞けば、「今日の相手はどこ？　球場は？　先発は？」といった情報がすぐに分かるのです。でも、試合当日に、突然大雨なんかで試合中止になった場合は、公式ファンクラブのメールが一番早いようで、メールを受信した私が、「お！　今夜の甲子園の横浜戦、雨で中止だって！」と伝えると、「うそ！　ホンマに！」と、驚いた返事が来たりします。

つまり、ネイティブ浪花のトラキチなのに、公式ファンクラブには入っていないのです。うーん、公式ファンクラブに入っていないとトラキチなのをアピールできない他の地域と違い、いつもタイガースを身近に感じられる地元だからなのかな？

私は、ときどき代打の神様と言われた桧山進次郎のユニフォーム（背番号24）を着たり、1985年にタイガースが日本一になったときの優勝記念キャップを被ったりして外出します。

すると、見ず知らずのトラキチさんから、「すんまへん、今日の先発は誰でっしゃろ？今年はどないでっか？」などと話しかけられることがあります。そこで、職場の仲間たちからの情報をもとにちゃんと返答できるようにしています。

桧山進次郎のユニフォームを着ていながら、「え？　今日の先発？　えっと、誰やったっけ〜？」などと返答に詰まっていると、疑いの目で見られてしまいます。

「ムム、桧山のユニフォームを着ていながら、今夜の先発も知らないとは！　貴様、さては巨人のスパイだな？」などと嫌疑をかけられ、私設ファンクラブ秘密警察の事務所に連れて行かれないよう、トラキチの恰好をするときは十分注意しています。ンなアホな。

ごく一部の浪花の女性?
大阪で通勤開始です。
通天閣だ
王将
ニカッ
並びかけて呼びかけも気づきません。
もしもーし
ニャー
なんやわれ〜
なにいちびってんねん
じゃ閉めて!ね、おっちゃん!
え、あ、は、はい!
あーあ…
お人よし…
前を行く軽自動車のハッチバックが、開いたままになっています。
ブロロ…
あ、危ねー!
和泉ナンバーニャ
信号待ちで止まった時に…
おーい!!
おねえさん
窓をたたいて呼びかけたら…
だーかーらー
リアのドアが…
あのねー
あ!!
ホンマや
ニャ
女性は礼も言わず、走り去りました…
ブロロ
どアホ

誇り高き大阪弁
浪花っ子は…
大阪弁に、と〜っても誇りを持ってますニャ。地方出身を隠すため、方言を使わない人が多いけど、大阪の人は違うニャン！

お、おおきに!?
大阪弁はいいけどあんまりカッコよくねー
そ、そう？
おこられるヨ

片や、東京ではチャキチャキの江戸弁を話す人は、あまり見かけませんネ。さみし…
そこをヨ、まっつぐ行って、しだりへへえったとこにあるっつってんだい。ベラボーめい!!

江戸弁のネーミングの自転車…
人力車じゃなくて？
また変なコト考えてるニャ…？

その証拠!!
大阪のローカル自転車メーカー
OOKINI
おおきに
※関西弁で"ありがとう"の意
ホントにある！

吉本新喜劇の、故花紀京さんみたいなコテコテの大阪弁を話す人も多いです。
"ココだけは絶対見たらアカンぞ〜
表出て勝負しよかい!!

ボクは、江戸弁が大好きだから〜
江戸弁のネーミングの自転車も作ってほしいニャン!!

出前専門の「ガッテンダイ」号!?
あいよ!! がってんだい!!
ベラボーメ号とか〜？
江戸弁や大阪弁をバカにしてる？
もう…

大阪の人の話し上手は天性のものでしょうね?

地名は語る…
大阪キタの繁華街、梅田は〜、元々一面の田ンぼだったのを埋めて作ったので、埋めた田、埋め田〜で、梅田になったとも言われていますニャ!!
諸説アリ！

ミナミの道頓堀は、大阪城の外堀を作った安井道頓が、
ワイが道頓や!
あの界隈の開発をするために作った堀だと言われています。

…つまり、今の大阪の繁華街というのは〜
どこも一面の田んぼや湿地帯だった訳で、要するに〜

南海トラフ巨大地震の津波で、
浸水の危険性が大、ということです。

…なのに、ネイティブ浪花っ子の自然災害に対する危機意識ときたら…
台風がくるよ!!
平気、平気、大阪は大丈夫やねん!!
対策しないの？
絶対、外れるさかい

な〜んて言ってたら…
2018年
6月 大阪北部地震!!
9月 台風21号直撃!!
安全神話崩れる!!

それでも懲りない浪花っ子なのでした…
宮城から来たボクが神経質なのかな？
ニャー
あのね台風19号がね…
日本シリーズ!!
ドラフト会議

大阪は歴史のある街だから、古い地名には昔の人の教訓が含まれてるニャ!!
参考にして災害に備えますニャ

大阪弁のイメージ
東京の女性に大阪弁のイメージを聞いてみました…
ゴメン
やっぱちょっと怖いかな〜
やっぱし…ちょっとショック…
こーゆーイメージは、関西出身の芸人さんの言動やミス花子さんの
河内のオッサンの唄〜♪
が原因と思われます。
ボクの大阪弁の原体験は、小さい頃、近所に住んでいた優しいおばあさんです。
ハイ、アメ玉おあがり
ありがとう
おはようおかえり※
ハイ
五才
※いってらっしゃいの意
このおばあさんが使っていたのが、大阪の商家の言葉、
おいでやすぅ。ごめんやすぅ。
船場言葉です。とても優しい響きでした。
考えてみりゃ、いわば、大阪は商人の街!!
商人がお客さんに汚い言葉を使う訳ありません
そりゃそうニャ!!
ところが、この船場言葉、ネットで調べてみると今では〜
あちゃ〜…
ニャ
消えてゆく美しい方言になっていました…
地方から大阪に来る人や外国人が覚えるのは、いわゆる、荒っぽいほうの大阪弁ですね…
もうかりまっか?
ボチボチでんな〜茶〜しばきに行こか〜ホナ、さいなら〜
流暢なのはいいけれど…
ちょっと残念…
船場言葉に興味がある人は、ネットで調べてみてニャー
やさしい!!言葉ニャ

浪花友あれタイガース

言わずもがなですが…
大阪には阪神タイガースのファンが多いです。
HANSHIN
Tigers

えー!! 今夜の横浜戦中止でっか〜?
え?
あ、はい中止になりましたヨ
かなんなーヒマになってまうなー
ニャ

そんな浪花のトラキチの間でひそやかに語られる都市伝説!
阪神タイガース、栄光の背番号11番、故村山実投手!!
OSAKA

な、長嶋が打った…天覧試合のあのホームラン…
あうう…
やっぱ…あれ…ファールやで…

ある日のコト…あー、今夜の甲子園の横浜戦、雨で中止だって……
あ〜あ…
今夜、何する?
エッチなビデオでも見る?
バカッ

このように見知らぬ間でも〜
大阪のトラキチ同士はタイガーズの話題ですぐ盛り上がります
今年の阪神はどうでっか?
ボチボチでんなー

長嶋茂雄さんとの、天覧試合での対決は今も語り草です。
!う、うう…
あ、お父さん、何、何が言いたいの?お父さん!!

ガクリ…
そうだったのか!?
わわ〜ん
さすがは浪花のトラキチですニャ

浪花のカルト教？
2018年7月6日、某カルト教団教祖の死刑が執行されました。
この教団の起こした事件をキッカケとしてマインドコントロールという言葉が知られるようになりました。

人気ミュージシャンのコンサートもある意味で〜
WOW WOW
OH YEAH
カ〜ー
マインドコントロール？

通りすがりの女の子が口ずんでいたのが…
ろーっこー
ろーしにー
さーさーとー

こ、これもマインドコントロールの一種かな、ね？
まー、この子はいい子ねー
チャラー
かっとばせー
鳥谷〜
どう
ニャ
日本語で洗脳と言うべきニャン!!

考えてみりゃ、戦争なんてのは、国家レベルの
マインドコントロールですよね？

さて、買い物に行ってて…
マグロ
マグロ〜
ダメッ

ろ、六甲おろし!!
!!
あんな小さい子が…
鳥谷のユニホーム着てるし…
おー
おー
おー

この話を友人にしたら…
何を言ってンすか!! それは英才教育と言うんですよ!! キッパリ!!
え、英才…

4/18 対ヤクルト 10－5

2019年10月13日
桜の戦士たちが横浜で強豪スコットランドを破り、決勝トーナメント進出を決めた10月13日…
阪神タイガースは、東京ドームで終戦を迎えていた…
ここまでよくがんばった!!
ありがとう鳥谷ー
ニャ
おつかれ鳥谷選手
盛り上がるラグビーファン!!
松島
姫野
マイケルよ
福岡だよ
盛り下がるトラキチ…
終わったな…
うん
あぁ…

お祝いのメッセージをLINEやメールで仲間たちに送りまくるラグビーファン!!

終戦のメッセージを送るトラキチたち…
戦局、必ずしも好転せず…
耐え難きを耐え、忍び難きを忍び…

ラグビーファン、トラキチ双方からメールをもらって〜返信相手を間違ってしまった奴
おめでとう??
誤解誤解
ワレ、いつから巨人ファンになったんじゃい?
台風19号で被災された方々に心からお見舞いを申し上げますニャン

日本シリーズ一考
2019年のプロ野球日本シリーズは…
ソフトバンク
巨人
VS
ボクのほうが可愛いニャ
日本シリーズ、見ないの？
トラの出ない日本シリーズなんざ…
何の意味があんねん？
トライ!!
トラキチに聞いてみました…。もし、日本シリーズに出たのが広島なら…
どっち応援する？
広島…
セリーグ代表
もし、中日なら…
どっち？
中日…
セリーグ代表
ヤクルト or 横浜なら？
？
在京球団やけど…
セリーグ代表!!
巨人…
…
ずぇ〜ったい、パリーグ!!
なんでー？
ジャビット可愛いよー
セリーグ代表
巨人応援しようよー
球界の盟主、ジャイアンツだよー
ケッ
何が悲しゅうて獣王のトラがウサギ球団応援せなならんねや!!
……

第10章

ウチの近所のトワイライトゾーン

●ジョギング帰りに〝感じるスポット〟で参拝

大阪の心霊スポットなどを語るつもりはありません。我が家の周りで起こった不思議な出来事について、ちょっとした雑感などを述べていきたいと思っています。

下手に「どこそこには、こういうウワサがあるよ」なんてやると、どこにどんな迷惑がかかるか分かりません。そこで、できるだけ具体的な固有名詞などは使わず、なるべく怖い話を避けて不思議な話を中心に紹介していこうと考えています。

たとえば、誰かがすぐ傍にいるような、そんな気配が確実にしているのに、周りを見回しても誰もいない、――そういったことを経験したことはありませんか? 私は、いわゆる〝視(み)える人〟ではないので、霊視的な経験などはありません。でも、何かの存在を〝感じること〟はわずかながらできるようです。

私は、毎日のジョギングの帰りに近所の神社にお参りしています。その神社は、そんなに大きくはないのですが、参拝する人は多く、パワースポットになっているのか境内に入ると何か不思議な力を感じるのです。

ここで参拝していると、私が拝んでいる背後で誰かが待っているような気配を感じたことが何度もあります。単にそんな気がするというのではなく、動く音がしていたり息遣いを感じることがあるのです。

間違いなく誰かいると思って振り返っても誰もいない……。また、お社（やしろ）の奥のほうから音がしてきたので神主さんが何かしていると思っていたのに、神主さんは庭のほうで落ち葉を掃いているし、奥のほうには誰もいない……、という経験をしています。

何なのでしょう？ これが、真っ暗な森の中や墓地のような場所だったならば、怖い体験をしたということになるのでしょうが、少し感覚が違うのです。〝怖い〟というより〝不思議な〟感覚なのです。

それも、よくお参りに行く近所の神社での出来事なので、自分や地域を護ってくれている存在を感じた、〝ホッとできる〟安心感を得たといった感覚が一番近い感じのようです。

こういった話の第一人者でもある稲川淳二さんが仰っていましたが、「もともと怪談というのは怪異譚（かいいたん）というものの一部であって、〝怖い〟、〝恐ろしい〟といった思いを抱かせるおどろおどろしい話（これがいわゆる怪談）から、〝ホッとする〟〝心が和む〟と思えるような不思議な話まであるのだそうです。これらを全部ひっくるめて怪異譚と言うのだとか。だから、前述の話は怪異譚の異譚のほうでしょうか。

●ＵＦＯ話で中国語がマスターできるのは大阪ならでは？

大都会の大阪に来てからは、夜空を見上げる機会がめっきり減りました。宮城や鹿児島にいたころは、よく海岸に寝転がって夜空を見上げたものですが、その機会も減ったので、その分、宇宙からの訪問者の乗り物を見る機会も減りました。

具体的には、大阪に来てからは一度だけ。ＵＦＯなどの存在を信じない、目撃談について、錯覚や見間違い、酒の飲みすぎなどと言って片づける人も多いのですが、かつて私がそんな環境にいたように、太平洋やインド洋、砂漠のど真ん中といった地上の灯りの影響がまったくないロケーションで夜空を見上げたら、誰でも考えが変わってくるかもしれません。

当の私は、今は夜空を見上げる機会も少なくなっていますが……。

ＵＦＯの存在を信じる、信じないは別として、私は過去の体験から、個人的に信じざるを得なくなりました。
そのときの体験を、現在受講している中国語講座のフリートークの授業のテーマ「あなたは何に興味がありますか？」で、発表することになりました。そこで、「中国語でＵＦＯのことは何と言う？」「宇宙人は？」なんてコトを一生懸命勉強して授業に臨みました。それで、発表した内容に対する評価は？　はい、ものすごくウケました（納得したり感動してもらっているではなく）。
ほかの人のテーマは、「中国の歴史」とか、「本場の中華料理」といった真面目で硬い内容が多いのですが、私は「ＵＦＯに興味があります」ということを真面目くさってやってみたら、果たして大ウケしたのです。
ちなみに、ＵＦＯは中国語で「不明飛行物（ブウ・ミン・フェイ・シン・ウー）」、宇宙人は「外星人（ワイ・シン・レン）」となります。不明飛行物――、ウフフ、想像しやすく、ＵＦＯというよりそのものズバリって感じだと思いませんか？
そうしたら、中国語の女性講師も、「私はＵＦＯを見たことはありませんが、信じています」と言ってくれ、授業そのものがますます盛り上がったのです。中国人も大阪で暮らすようになると、大阪に染まってくるのかな？

こういう話を大真面目に外国語の授業でやるあたり、私も大阪にどっぷり浸かってしまったということなのでしょう。

●チャイニーズ・ゴーストストーリー⁉

ほかの日には、心霊現象を取りあげてみましたが、この手の話、中国人は大好きなようで、こちらも大盛り上がりでした。

そのときのテーマは、「あなたの親友はどんな人ですか?」というものでした。宮城勤務のころに私の幼馴染みの親友が亡くなったのですが、その際、彼が私の夢枕に立って現れたのです。

彼がそれまで長く患っていただけに、「そうか逝ったか、知らせに来てくれたのか?ありがとう」と思って、目覚めた後に彼の自宅に電話したら、やはり夢枕に立った時刻に逝ったとのことでした。

この話をたどたどしくも、何とか中国語で発表したら、ＵＦＯのときとは別な盛り上がりとなりました。自分も、身内が亡くなったときに同様の経験をしたと言ってくれた人もいました。
ところで、中国語では「夢枕に立つ」という言い方はせずに、「夢に出る」という表現になります。日本でも、すごく怖いものを見たりすると、「夢に出そう」などという言い方をしますね。
最近は、「トラウマになる」と言ったりしますが、私にも、拭いきれないトラウマがあります。
長い間忘れていた、阪神・淡路大震災で生き埋めになった経験がそれです。東日本大震災に遭遇したとき、改めて思い出してしまいました。

近所の公園～
子供って…、大人には見えない「何か」を見ている時がありますよネ?
じっ…
………

ねえ、お父さん、知らない女の人がお父さんの隣にいるよ！
えっ
……

ネコも時々、不思議な動きをします。
ぢ～…
?
こいつ例外!!

ジョギングコース上にちょっと気になる場所があります…
?
何してるニャ
ぢ…

そこに近づくと…
…
…
何だか、重苦しいというか、楽しいとかうれしいという気持ちが萎えてしまうんです。

で、その負のオーラというか、マイナスエネルギーというかの出る辺りを…
ネコが、じ～っと見ているんです（本当）。

気になってネットで調べて見ると…
ヒット！
お
何かわかった?

1988年に、16才の少女がリンチにより殺害…
他には～自殺が…
……
深夜には、そこには近づかないようにしました。

疲れてたんでしょ？
岡山マラソンを走った翌日、軽くジョギングしました。
脚痛くないニャ？
うん、大丈夫だよ
近所の神社に完走の報告とお礼に行きました。
ありがとうございます
パンパン
ニャ
すっかり暗くなった境内で背後から変な声が聞こえてきます…？
※△◎
＋○☆♀
♂＝→
？
振り返ったのですが誰もいない？
犬や猫もいない？
ふと、コマ犬さんの足元に目をやると…
！
目が合っちゃいました。
バチッ!!
あ
逃げた!!
ニャニャ
ササ
う〜ん
妖精？何だったんだろ？
あれって〜
い、いや　疲れてただけだよ!!
ね、ね、ニャー

大都会の孤独？
通勤ラッシュの電車内にて…
ネコ
！
？
少し離れたところにいるサラリーマンさんも同じように、キョロキョロしているので、目が合いました。
ニャ
やがて駅に着きましたが、人々は無言のまま…
あのー
ねー
だーかーらー UFO!!
ゾロゾロ
ふと、窓の景色に目をやると…
周りを見回しても～
ニャ
キョロ
キョロ
誰も気づいてない？？？
彼は～
アイコンタクトで
「そうか、お前も見たか？
オレも見たよ」と言っているようでした。
ニャ
なんでだよー
もっと驚こうよー!!
UFOだよー!!
驚きと感動をなくした都会人たちよ、ああ…

見間違いだよ！
早朝ジョギング中に
セミの羽化に遭遇!!
やたっ
ニャー

よーし、動画で撮影
してやろう!!
へへ〜
グッド
アイデア
!!

知り合いの子供たちに
自慢してやろ!!
そーれ
開始!!

と、そこへ
おはよー!!
今日も早いね!!
知り合いが
声をかけてきて〜

あ、おはよー
ござい
ます！
仕方なく、
したまま、
撮影モードに
ケータイを
石灯篭の中に
セットして
置いたのですが…

後で、再生してみると、
セミの羽化はちゃんと
撮れていたのですが…
ついでに、
石灯籠の中も映って
いて…

一瞬ですが、小さな人
のようなモノ（ヤモリ？）
が映ってました…

石灯籠の中に人が
いる訳ないニャ…
トカゲ？
…でも…
…
子供に
見せら
れねー
あそこは去年も
変なモノを
見たし…
何なんでしょうね？

髪の毛の話
コヤツは月に3〜4回散髪しますニャン
自分でセルフでやるのでタダですニャン
バリ
バリ

うーん、ウチはよく窓を開けっ放しにしてるから外から舞い込んだんでしょ？
ハウスダストアレルギーだから、よく掃除してるし〜

ネコが気味悪がるのには理由があって…。以前、友人が中古で買った鞄を預かりました。
フーテンの寅さんが使ってたタイプのヤツ

買ったコトを奥さんに知られたくないとかで…

髪の長い女性が切なげに…ホント切なげに
しくしくしく…
ううう…
泣いている夢です。

だから、我が家には、長い髪の毛が落ちているハズがないのですが…
オロ？
？？？
何で？女性は一度も来たコトないのに…？

ま、気にするコトないでしょ
おソージ おソージ
いや、やっぱ気味が悪いニャン⁉

鞄を預かった夜に変な夢を見ました。
翌朝
……
……
ちゃん ちゃん

掃除をしていたら……
？
なに、この長〜い髪の毛は？
そして、部屋の中に、ほのかに漂う
女性用香水の香り……
ヤッロー!! この中に女性用の香水を隠してやがったナ？
浮気用!!
それで、奥さんに知られたくなかったニャ？
バカッ
う!!

預かった時には、何も無かった鞄の中に……
大量の長い髪の毛が!!
髪の毛はすぐに始末しましたが…
ど、ど、どーしよ？
ニャニャニャ

数日後、友人が鞄を取りに来ました。
ありがとヨ!!
アバヨ!!
風の吹くまま気の向くままよー
そして、うれしそうに鞄を持って帰りました。
…髪の毛のコトを言いそびれちゃった…
で、その後、友人氏も、相棒も何事もなく過ごしておりますニャ。友人氏は鞄をすぐ手放したそうですニャ。

理由は不明ですけど…

プレデター!?
友人は……
ホンマに何もないのに自動ブレーキが作動したんや!!
と、言っていましたが……

映画『プレデター』のように、
人間の目に見えない〝何か〟にブレーキが反応したのでしょうか?

その日、野球のヘタな私は、一人で壁キャッチボールをしてました。
とう!
ポーン
相手できなくてゴメンニャ

やっ
ソロソロ帰ろ?
うん、もう少しやってから

ところが…
ポコッ
!

?、
ポトリ

へへ…オレってば、無意識で、変化球を投げちゃった～スゴイ奴～
いや、違うと思うニャ
ボールに当たったのは何??エイリアンは、すでに地球に侵入している????

エピローグ

やっぱり、浪花節だよ！人生は!!

●締めはＢＯＲＯの「大阪で生れた女」で

阪神タイガースの元エース・江夏豊氏の投げる球が時速２００㎞以上あったという都市伝説の元ネタをくれた先輩が、今度は、「南海ホークス入団前の野村克也がバッティングセンターで打撃練習しているのを見たけど、打球が速過ぎて見えんかったわ」と、バッターネタも教えてくれました。

どちらもいずれ漫画にしたいと思っていますが、実際の話、スピードガンのなかった時代に速球派と呼ばれていたピッチャーは、どれくらいの球速の球を投げていたのでしょう？

ちょうど、そんな速球投手・江夏がらみの漫画を描いていたとき、何のタイミングか、国鉄スワローズと巨人で活躍した４００勝投手の金田正一さんの訃報（２０１９年10月６日）が飛び込んできました。４００勝というとんでもない勝利数を上げたレジェンド投手の球って、いったいどれくらいのものだったのでしょう。

金田投手と実際に対戦したことのある打者やライバルだった投手たちは、「間違いなく時速150km後半から160km は出ていた」と言っていますが、あるテレビ番組で金田正一氏自身は「わしの球は180km は出てたやろねぇ」と冗談まじりで話していました。それならば、江夏投手のほうは、いったいどれくらいのスピードボールを投げていたでしょう。かなり興味があります。

いよいよ、本章をもってこの本も終わりですが、数々の面白エピソードで盛り上げてくれた「浪花の兄弟」ともお別れです。この章では、本全体の締めくくりに、BOROさんの「大阪で生れた女」の歌詞を使わせていただきました。「浪花の兄弟」のストーリーそのものは、できるだけ浪花らしく人情話にしようと思っていたため、「大阪で生れた女」の歌詞を借りて、あのようなカタチでの締めとなりました。

この漫画の中で、「浪花の兄弟」の兄が弟に語った言葉は、実際に私が居酒屋で聞いた言葉が元になっています。聞いていてなんだか妙に納得できて心に残った言葉を、少しだけアレンジを加えて漫画にしたものです。

私が学生だったころは、居酒屋で居合わせたおっちゃんやおばちゃん、あるいは店の大将といった人生の先輩方が、自身の経験やウンチク、浮世の義理といった学校では教えてくれない酒の肴(さかな)的な世間話を聞かせてくれました。それが、社会に出てからずいぶん役に立ったように思います。

ある噺家さんが、「昔はね、寄席に行って落語なんか聞いてりゃ、世間で必要な通り一遍の常識なんざ自然と身についたんだよ」とか「世の中で必要なことは、別に学校で教えたり、親が躾（しつけ）としてやらなくても、隣近所のみんなが教えてくれたよ」と言っていました。

かく言う私も世間付き合いがいかに大事かも、酒の席などで教えてもらいました。

私自身、居酒屋やアルバイト先の方にいろいろ教わったおかげで、今日の自分があると思っています。だから今、この漫画も描けるようになったわけです。

最近は、居酒屋でも、周りの人とあまり会話をせずにスマホとにらめっこして一人黙々と呑んでいる人がいますが、それでは居酒屋に来た意味がないような気がします。

もちろん、酒をどう呑もうが勝手なので、私が非難するところではありません。池波正太郎さんの小説の中の人物のように、一人で渋く呑むのは粋で格好いいと思いますが、ただスマホとにらめっこして呑むというのとは少し違うような気がします。傍で見ていて、何か物悲しさも感じてしまいます。

鬼平も秋山小兵衛もスマホを眺めていたのではなく、店に来る人たちを眺め、彼らの会話に耳を傾けていたはずです。
ただ、大阪の居酒屋には、たいがい気さくで話上手な大将やおばちゃん、お客さんがいて、そういう人たちはたいていお節介ときています。だから、「あんた、呑み屋まで来て何やってんねん。ここは明るく美味しく呑んで楽しむトコやで。そんなもん早よ仕舞って、こっち来て一緒にやろ！」と声を掛けられることも多く、一人で呑むのも難しいかもしれません。
だから、本人もうっとうしいとか余計なお世話だと思わず、触れた浪花の人情に対しては、自らどっぷり浸かってみてはいかが。話し上手な人は聞き上手なので、聞いて欲しい話があれば自らぶっちゃけてみるのもいいと思います。

●大阪人情は弱者を擁護し権力者に反する気持ち

鬼平には及びませんが、私も一人居酒屋でちびちびやりながら、周りの会話に耳を傾けていたおかげで、この漫画の「浪花の兄弟」の兄の名ゼリフ（？）などを引き出すことができました。
大阪が人情の街と言われるのは、きっと深いところに歴史的な背景があるからなのでしょう。大阪の隣は、長く日本の中心にあった京都です。大阪や近隣の庶民たちは、中央の政争で敗れた人たちの諸行無常を数百年以上に渡り身近で眺め、ときには時の権力者から追われる人を擁護したこともあったでしょう。幕末に、新選組や見回り組に追われている尊王の志士を匿った庶民の話もよく耳にします。

歴史的に弱い者を放っておけない、いい意味でお節介な土地柄なのでしょう。

そして、現在の大阪の賑わいを語る上で欠かせないのが太閤・豊臣秀吉の存在です。まず大阪城を築き、大阪の発展の礎として船場に商人を集めて商売を盛んにしました。その商人たちの庶民づき合いの中で育っていったのが優しさと人情味溢れる船場言葉です。

また、女好きだった秀吉が日本中の美女を大阪に集め、そのＤＮＡが受け継がれて、大阪は華やいだ美人の街となりました。さらに、秀吉の子飼いの武将や息子・秀頼が江戸の徳川家康との争いに負けて日本の中心地が江戸に移ったことが、今に至る「東京なんかに負けへんで！」という中央への反発心やライバル意識を生み、現在のスポーツや武道の世界における「東西対抗戦」が始まるきっかけにもなりました。まさに、「太閤はんのおかげで今の大阪はあるんやでぇ～♪」なのです。

太閤はんが大阪で人気があるのは、自身が貧しい庶民の出身で、浪花っ子の好きなど根性での成り上がりストーリーを体現した人であったからとも言えます。花登筺（はなとこばこ）さんの『どてらい男（ヤツ）』や『あかんたれ』も、結局、太閤記の商人版なのです。歴史上の勝利者はどちらかと言うと家康と言えるのに、秀吉が太閤はんと呼ばれて人気なのに対し、東京で家康はさほど人気がありません。もちろん、息子の代で滅びた豊臣家に比べ、徳川家が長く続き過ぎたことも遠因としてあるでしょう。

さて、「浪花の兄弟」の兄に語らせたかった言葉で、今回は紙面の都合で漫画にすることを見送ったものがあります。しかし、その言葉を体現しているような、現在も病気と闘っている競泳の池江璃花子選手の懸命な姿を見て感動を覚えました。それで、文章上だけでもその言葉を「浪花の兄弟」兄に語ってもらおうと思います。彼が呑み屋さんで弟に語っているところを想像してみてください。

兄：「世の中で一番かっこええのは、なりたい自分になるために努力している奴や。いつかなりたい自分になるために一所懸命勉強したり、仕事したり、スポーツやらに励んでるやつらや。金儲けの上手な奴らとちゃう！」

この言葉を、池江選手をはじめ、難病に苦しみつつも懸命に頑張っている人たち、未来の自分のために今を頑張っているすべての人たちに、「浪花の兄弟」兄に語ってもらったところで、この漫画の締めとさせていただきたく思います。

トラの誇り！
大谷翔平投げた〜
出た‼
日本最速
165km/hr‼
大谷翔平ってスゴいな〜速いな〜
なんで、阪神に来てくれへんねん‼
兄ちゃん、大谷翔平ってスゴいな
そのうち、世界一速い球投げよるんとちゃうか？
いや、マジで‼
‼
大谷は確かにスゴい‼
けど、スピードガンが無い時代には、もっとスゴいピッチャーが阪神にはいたんやで‼
住之江G1大予想
え‼
阪神に‼
阪神タイガース、栄光の背番号28
タイガースのエースやった若い頃の江夏豊の球は、そら〜ものすごい速かった‼
初めて甲子園で江夏の球を見た時は…
ごっつい球投げよんな…
うん、スゲぇ…
衝撃やった…
ありゃ〜、ひょっとしたら新幹線より速いで…
え‼ひかり号よりか⁉
お父ちゃん…
〇系新幹線ひかり号
MAX 225km/hr
ひ、ひかり号より
ひええ〜
スピードガンの無い時代やったからなー
今やったら、少なく見積もっても、200km/hrは出てたやろな‼
ひぇー 江夏豊、世界最速やー‼
都市伝説です。都市伝説‼ニャンニャン

ヤツらも浪花っ子でした
くっそ～!! ぜったい に 仕返しして やるで～
え～
なー もう やめへんか?

ヒヒ…何も知らんと 仕事してるで…
弁当に下剤で も入れたろ!!
…

兄ちゃん、仕事があるって ええな～「働かざる者食う べからず」やね
そーゆー こっちゃ
稼ぐで～

…あいつら偉いよな…
ちゃんと 仕事して …
カッコええ よな… ワイら… 何か… カッコ悪ぅ…
!
!

い～や!!
この ウラミ はらさで おくべき か～ みとれよ～
サロンパス
サロンパス

…でも何か… 近寄りがたいフンイキ やな…

!
働かざる者食う べからず…
……!

…バイト探しに 行くか!?
それが エエわ!
ケガ 治して からな!!
やかまし ワイ!!

若者たち

ありがとうございます。
お弁当、温めますか？
おしぼりは
付けますか？

何をしてるって～
バイトですわ
悪さしてんのとちゃいますよー

マトモに勉強したコトないし……
何の資格も持ってないし……
3人一緒じゃないとバラ売りはしてないんで～
そうか～大変やの～

祝儀袋ですね すぐ使いますか？
はい
おう、すぐ使うさけ袋から出してくれや

？
何や、お前らこんなトコで何をしてんねん？
！

ワイらも、そろそろマジメに～
働かなアカンなーと思うて～
バイト探したけど、なかなかええのがなくて～
ほ～

あ、
ついでにこれも、もらうわ。勘定してくれや

え？コレワイらに!?
おう
中身は泣きたくなる位少ないけど、怒るなよ!!
スーパーコンビニ
ウルトラ
7
イレブン

やっぱし、浪花節だよ人生は！
兄ちゃん、ワイってアカンタレやろか？
あー？何でやねん？
この歳になってもマトモな仕事もないし…
別にエエやないかい!?

…モツ煮込み、うまいやろ？ エエ味してるわな？
え？
どうやって作るか知ってるか？
え、知らんけど…

不器用な奴が、コツコツ回り道しながら、地道に一生懸命にやるからエエ味が出るんや
そういう奴がワイは好きやし、そういう奴が、ホンマに偉いと思う
……

むずかし過ぎて、ようわからんわ!!
ハハ、かめへんかめへん!!
お前は今のまま、がんばって生きてたらエエねん

エイ
手羽
モツ煮込み
うまき
せやけど、同級生の連中は課長とかになってんで？
人は人やんけ!!
しゃーけど…やっぱし…

安いモツを時間かけて、丁寧にアク取りしながらじっくり煮込むから、うまいんや…
……
人生も一緒や焦って生きたって、エエ味にならへんねや…

お前はアホやけど…
正直モンで、一生懸命生きてるエエ味の人生やと思うで
……
…

エエ話、聴かしてもらいましたワ
おーきに！
一杯おごらせて下さい
えらいスマンな、ほなゴチになるワ!!
エッ

ヤンピ ＝ やめる

BOROさんの「大阪で生れた女」を替え歌にしてみました。

オチ －その2－
オウ オウ
ちょっと、待ったらんかい！このマンガの主役は、ワイら兄弟とちゃうんかい!?
主役が誰かは置いといて～ワイら兄弟をモデルにしたんやろ？モデル料をよこさんかい!!
ひひ
ひ～ひひひ
このマンガはフィクションです。実在する人物・団体等とは、一切関係ありません。ヨロピコ!!
このマンガはフィクションです。実在する人物・団体等とは、一切関係ありません。ヨロピコ!!
むむむ…
？
兄ちゃん、どないしてん？
ヒーヒヒヒ…
ヒヒ…
？
ちっ
しゃーない、出直すで…
兄ちゃん、待って!!
ひーひひひどーだ？
ニャヒヒ
ところで、兄ちゃん、フィクションって何や？
英語でクシャミのことや!!
え～？つまり、どういう意味？
カゼひいてるさかい今は、誰とも関係したくありません、意味や
ちゅー
ほたら、3日位したら、また来よか？
せやな!!
おーしまい!!チャンチャン!!

おわりに

このマンガのおわりにあたって言いたかったことは、浪花の兄弟に言ってもらったので、特にあらたまって申し上げることはないのですが……。２０１９年に原稿を出版社に送ってからも、２０２０年６月下旬の今日現在まで漫画を描き続けているのですが、ご存じの通り、新型コロナウィルスの流行で、浪花や日本どころか、全世界の状況が１年前とは、ガラッと変わってしまいました。

このマンガは、自分史的な部分が多くあります。で、出版社に送ってない分も含めて読み返してみますと、１年前は、東京オリンピックの観戦チケットを手に入れようとして躍起になっていて、それが全滅すると、聖火ランナーに応募したりした訳ですが、まさか、こんな状況になるとは、まったく予想できませんでした。

今年になってからの漫画のネタは、８割方コロナネタです。この先、果たして、新型コロナウィルスの蔓延は収束するのか？　東京オリンピックは開催できるのか？　不安なところです。

身近な所では、天神祭りやPLの花火芸術の中止が決定し、楽しみにしていた、だんじり祭りの開催中止を決めた地区も出てきましたし、大阪マラソンや神戸マラソンの中止が決定しました。夏の甲子園も中止になりましたし、いったいどうなるンでしょう？

プロ野球は開幕しましたが、阪神タイガースは出だしで転んでますし……ま、ネガティブに考えるより、災い転じて福となす！　です。

コロナ禍のお陰か？　世界的にＣＯ$_2$の排出量が減っているようですし、テレワークで家族の絆の大切さを実感するようになった方も多くなったと聞きます。コロナ対策に懸命な医療従事者の方々は言うに及ばず、感染の危険にさらされながらも、ゴミ収集に従事する方々や、宅配等物流業者の方々の努力、普段はあまり注目されない部分にスポットライトが当たったのも、コロナ禍の故でしょう？

物事には必ず、裏と表があり、影の部分があれば光の部分もあるわけです。今回のコロナ禍も、これからの人類が良い方向へ向うための試練と考えるべきかもしれません。

この本の出版も、コロナ禍のお陰で？　出版が遅れました。でも、遅れたお陰で、こういう文章も書けますし、もし、これが４月下旬頃に出版されていたら、「こんな時期にふざけた本出しやがって！」とバッシングを受けたかもしれません。
そういう訳で、私の本業は船乗りですので、この言葉で締めくくらせていただきます。
「待てば海路の日和あり！」

ありがとうございました。

2020年8月

坂本竜馬と怪しい海援隊

● 著者プロフィール

坂本竜馬と怪しい海援隊

(さかもとりょうまとあやしいかいえんたい)

2008年、転勤のため横浜から鹿児島県の喜入町へ移住。４年間暮らす中で、様々なカルチャーショックとともに、薩摩の魅力を感じ、どっぷりと薩摩文化に浸かる。その後、４年間の仙台勤務を経て、現在は大阪へ転勤し、移住５年目。大阪の文化や人々に魅了される日々。「おもろいこと」や「けったいなこと」を見つけては、コツコツと漫画を描いている。

著書：『鹿児島“爆笑”転勤ライフ　～他県人から見た薩摩の国』（合同フォレスト、2018年）

編集協力　中元寺 智信
組　　版　GALLAP
装　　幀　ごぼうデザイン事務所
デザイン　松村 久良

大阪爆笑転勤ライフ
――僕が出会った笑いと人情にあふれる浪花の人々

2020年9月30日　第1刷発行

著　者　坂本竜馬と怪しい海援隊
発行者　山中　洋二
発　行　合同フォレスト株式会社
郵便番号 101-0051
東京都千代田区神田神保町 1-44
電話 03（3291）5200　FAX 03（3294）3509
振替 00170-4-324578
ホームページ http://www.godo-shuppan.co.jp/forest
発　売　合同出版株式会社
郵便番号 101-0051
東京都千代田区神田神保町 1-44
電話 03（3294）3506　FAX 03（3294）3509
印刷・製本　株式会社シナノ

ISBN 978-4-7726-6169-0　NDC 361　188×130

合同フォレストSNS

合同フォレスト
ホームページ

facebook

Instagram

Twitter

YouTube